JN116614

現役航空整備士が書いた
かなりマニアックな
飛行機の知識

公益社団法人日本航空技術協会

　本書の前身は、私が航空整備士として高松空港に赴任していた2011年から2017年にかけてご搭乗いただくお客さま向けに航空機の仕組みや機能について解説しようと配布していたパンフレットでした。これに対してお客さまから好意的な反響をいただいたことがきっかけで2015年度に公益社団法人日本航空技術協会より『奨励賞』を受賞し、その後パンフレット16編を日本航空技術協会の月刊誌『航空技術』に月次連載していただきました。

　今般、連載された原稿に新たな3つの章を加え、また記事に書かれた実機や新しい機種の実物の写真や関連資料などを挿入して単行本として発行していただくこととなりました。

　当初のパンフレットは、ご搭乗され旅立たれるお客さまにとって航空機が単なる移動手段ではなく、ワクワクする楽しい乗り物であってほしいという願いを込めて作りました。そのために航空機の仕組みや機能を平易な記述で、しかし本質を外さずに詳しく、ということを心掛け、理解を助ける手書きのイラストもつけて書きました。

　単行本化によって、航空機をご利用されるお客さまをはじめ、より多くの方々に航空機の仕組や機能に興味を持っていただき、また、空の仕事を目指す若い方々の後押しが少しでもできればと思います。

　高松空港でのパンフレット作成・配布と、月刊誌『航空技術』への連載、単行本化にあたってご尽力いただいた皆さまへ、あらためてお礼を申し上げます。

株式会社JALエンジニアリング　一等航空整備士　中村惣一
2021年9月1日

◀業務中の本人

空港で配布したパンフレット▶

単行本化にあたって

　本書の内容は著者がこれまでに取り扱ってきた機種を題材に書いています。従って、現在では引退している機種や、当時と現在では異なる仕様や、整備プログラムの変更で現在では実施していない作業などに言及する部分がありますが、どうかご容赦ください。

　また、オリジナルのパンフレットは記述の文字やイラスト、イラスト内の説明を含めてすべて手書きですが、単行本化にあたってはその雰囲気を残しつつ読みやすくなるように手書き風の活字を使用しています。

　写真等のご提供のほか、多大なるご支援とご協力を頂きました日本航空株式会社様、株式会社JALエンジニアリング様と公益財団法人航空科学博物館様、関東化学工業株式会社様、エンジンパーツのイラストをご提供頂きました下村栄司様、図をご提供頂きました中村寛治様に厚くお礼を申し上げます。

公益社団法人　日本航空技術協会

目　次

各章において、文章中の 1 2 3 … は、
後ろの写真のページの 1 2 3 … になります。
文章と写真を合わせてご覧下さい。

第1章

エアコン

エアコン

まずは、家庭用エアコンと飛行機のエアコンの違いについて見てみましょう。

家庭用エアコンは

室内機と室外機のあいだで冷媒（フロンガスなど）を循環させて室内の空気を冷やします。

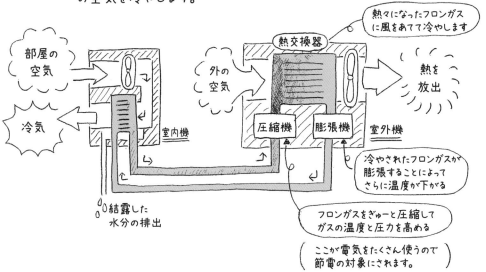

熱々になったフロンガスに風をあてて冷やします

部屋の空気

外の空気

熱交換器

熱を放出

冷気

室内機

圧縮機　膨張機　室外機

結露した水分の排出

冷やされたフロンガスが膨張することによってさらに温度が下がる

フロンガスをぎゅーと圧縮してガスの温度と圧力を高める

ここが電気をたくさん使うので節電の対象にされます。

飛行機のエアコンは

エンジンや補助エンジン**1**を運転して作られる高温高圧の圧縮空気を利用し、外の空気と熱交換して冷気を作り、客室内へ送り込んでいます。

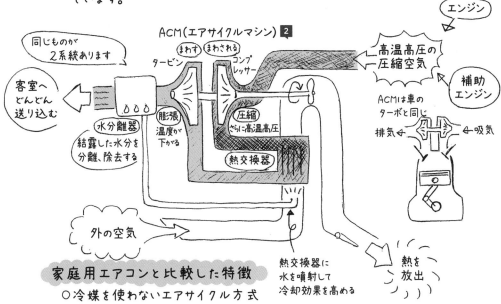

ACM(エアサイクルマシン) **2**

同じものが2系統あります

まわす　まわされる
タービン　コンプレッサー

客室へどんどん送り込む

水分離器
結露した水分を分離、除去する

膨張
温度が下がる

圧縮
さらに高温高圧

熱交換器

エンジン

高温高圧の圧縮空気

補助エンジン

ACMは車のターボと同じ

排気　吸気

外の空気

熱交換器に水を噴射して冷却効果を高める

熱を放出

家庭用エアコンと比較した特徴

○冷媒を使わないエアサイクル方式

○空気ポンプのように機内へどんどん空気を送り込む

○冷気を作るために電気や動力を必要としない（圧縮空気は必要）

※温度調節や安全装置の作動には電気が必要です。

なぜ空気ポンプのように機内へ空気をどんどん送り込む仕組みになって
いるのかというと…

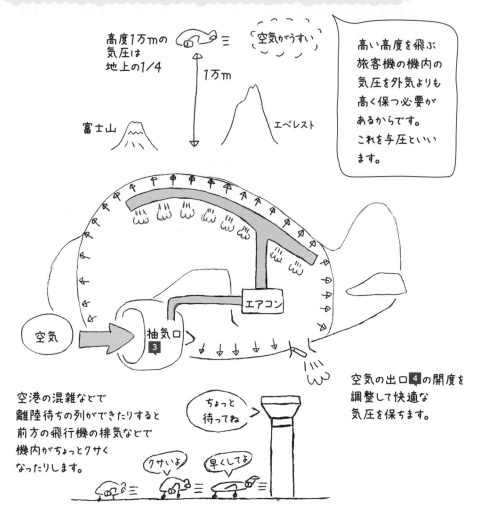

高度1万mの
気圧は
地上の1/4

空気がうすい

1万m

富士山

エベレスト

高い高度を飛ぶ
旅客機の機内の
気圧を外気よりも
高く保つ必要が
あるからです。
これを与圧といい
ます。

空気 → 抽気口 3

エアコン

空気の出口 4 の開度を
調整して快適な
気圧を保ちます。

空港の混雑などで
離陸待ちの列ができたりすると
前方の飛行機の排気などで
機内がちょっとクサく
なったりします。

ちょっと
待ってね

クサいよ

早くしてよ

000000

客室の窓を
よーく見ると内側の窓の
下に小さな穴が開いて
います。 5
くもり止めのための
空気の通り道に
なっています。

巡航高度（約1万m）を飛行しているとき、
機内と機外の圧力差によって客室の
窓1枚にはおよそ500kgの力がかかって
います。 6
客室の窓はアクリル樹脂製で、強度的に
は2重構造となっており、さらに内側に保護
パネルのつく3重構造となっています。
1枚で充分圧力差に耐える強度を持って
います。

飛行機が出発のために駐機場を
離れてエンジンを始動するとき、
エアコンが一時的に止まります。
エンジンの始動には、
エアコンと同じように圧縮空気を
利用するエアスターターモーターを
使用しているためです。
（一部の飛行機を除く）

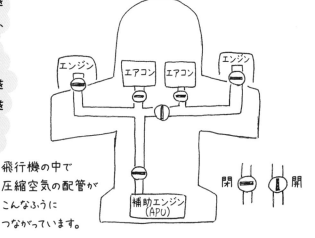

飛行機の中で
圧縮空気の配管が
こんなふうに
つながっています。

エンジン始動前	エンジン始動中	エンジン始動後

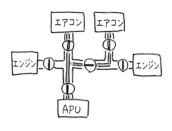 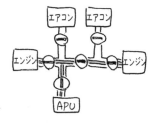 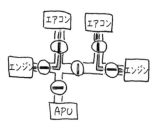

補助エンジン（APU）からの
圧縮空気でエアコンが
作動しています。

エアコンを止め、エンジンを
順番に始動するために圧縮
空気を使います。
（エアスターターモーターで
エンジンを回します）

右のエアコンは右のエンジンから
左のエアコンは左のエンジンから
圧縮空気が送られて
左右独立して作動します。

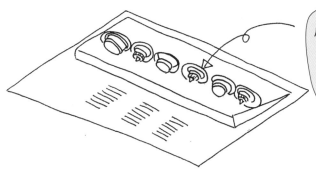

座席の頭上にある
冷気の吹き出し口を開けて
おくとエアコンの作動状態が
良くわかります。
エンジン始動中に試して
下さい。

1 補助エンジン (補助動力装置：Auxiliary Power Unit：APU)

ボーイング737-800　APU搭載位置と排気口
補助エンジン (APU) について詳しくは第13章をご覧ください。

2 ACM (空調機器：Air Cycle Machine)

ボーイング777-300ER

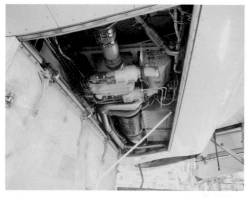

ボーイング787以外のこれまでの旅客機においてはエンジンから抽出した高温高圧の空気を機外の冷気で冷まして機内の与圧と空調に使用してきました。エアバスA350も同様です。

ボーイング787ではエンジンを飛行に最適な出力で運転させるため、与圧と空調用のコンプレッサーを胴体内に装備して使用しています。

ボーイング787の機内用空気取入れ口 (下)
及びその冷却用空気取入れ口 (上)

3 エンジン抽気口

ボーイング767用 CF6-80C2

エンジンからの客室用圧縮空気抽気口と
抽気ダクト

4 空気の出口

ボーイング737-800
機体後方にある
客室空気排出口
（アウトフローバルブ）

5 客室の窓の穴

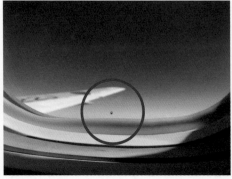

ボーイング767-300ER

6 客室の窓の構造

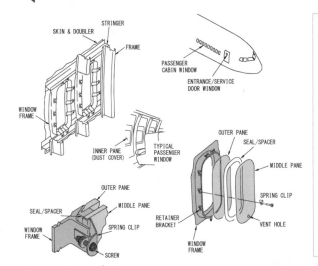

ボーイング767の客室窓

客室窓は機種によらず構成は同じで、アクリル樹脂のパネル3枚から成っており、通常は外側パネルだけで客室内の与圧を支える。中央パネルに小穴があけられ、通常は中央パネルに与圧がかからないようになっており、両パネル間の空間は防曇の役目をもつ。

万一、外側パネルが破損しても中央パネルで与圧を支持する。内側パネルは強度部材でないが中央パネルを保護し、また騒音防止を兼ねている。

（航空実用事典：日本航空株式会社　より）

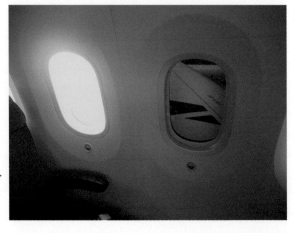

ボーイング787-8の客室窓：
従来の中型機に比べ約1.3倍窓を拡大し、視界がワイドになりました。外の明るさに応じて5段階の濃さに調整できる電子シェードも取り入れています。

番外　機内の空気循環について

こんにちは。JALグループの翼、J-AIRでエンブラエル170/190型機の機長をしております秋田です。リージョナルジェット機で大阪国際（伊丹）空港をベースに、全国の地域と地域を結ぶ使命感を持ってフライトしております。

先日友人から「今度飛行機に乗るんだけど機内の環境って安全なの?」と質問を受けました。新型コロナウイルスで日々不安な中でも、お仕事や移動手段として航空機にご搭乗くださる方々に少しでもご安心いただきたいと思い、最近は上空でのアナウンス時に、機内空調システムと機内空気の清潔さを加えています。皆さまにもこの場をお借りして、少しマニアックなお話をさせていただきます。

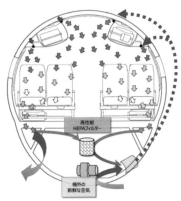

航空機は気圧の低い高々度（8,000メートルから10,000メートルくらいまでの高さ）を飛行するため、機内をなるべく地上環境に近づけるため与圧と言われる圧力をかけた状態で飛行しています。

また、客室内に送られる空気は外気を取り込むとともに、客室内で循環されている空気が客室内に入る前には、手術室でも使用されているヘパ(HEPA)フィルターという高性能なフィルターを通しています。

このフィルターは、0.3μmのサイズの粒子に関して99.97%以上通さず、エンブラエルにはこれを2つ装備しております。また3,000飛行時間以内の整備作業で定期的に新しいものに交換が行なわれています。JALグループの全てのジェット機にも、このヘパフィルターが装備されております。

お客さまの頭上付近から出た空気は、足元にある排気口へと流れ、機内の空気は概ね2〜3分以内には全て入れ替わり、外部から取り入れた新鮮な空気が提供され続けています。

この2〜3分以内に全て入れ替わるその計算についてもご説明します。エンブラエル機のマニュアルには、1分間で74kgの空気の供給性能を有していることが記載されております。これは、機内与圧が8,000ftと仮定すると、1分間で体積では82.1立方メートルの空気を供給していることになります。一方、エンブラエル170型機の機内の体積を半径1.5m長さ22mの円筒形とすると、約155立方メートルになり、空気供給量を考えると155÷82.1≒1.9で機内のすべての空気が入れ替わることになります。

出典：ON Trip JAL（日本航空株式会社が提案する観光ガイド）

おまけ

ボーイング787　与圧空調用コンプレッサー

ボーイング787は、燃費向上のために他の旅客機が行っているエンジンからの抽気をやめ、胴体内に装備した電動の専用コンプレッサーで圧縮空気をつくり、機内の与圧と空調を行っています。

当該機は、カーボンファイバーを胴体や主翼へ多用することによる軽量化とエンジンの効率化により、それまでの旅客機と比べて約20%の燃費向上を実現しています。

（第1章以上）

第2章

安定性制御

トリビア

ボーイング787が静かに雲海上空を飛行しています。炭素繊維
複合材でできた主翼は細く長く、レイクド ウイング チップの
先端にかけてしなやかな曲線を描いて伸びています。この柔軟
なつばさが気流の振動を吸収し、客室は穏やかな空間となっ
て乗客は快適なフライトを続けられます。

安定性制御

飛行機は技術の進歩にともなって、強力なジェットエンジンを搭載し、どんどん速度を増してきました。そして飛行機の速度が音速に近づくにつれて、それまでには起こらなかったさまざまな、そしてやっかいな現象が発生するようになりました。

今回はそのやっかいな現象のうち、「ダッチロール」と「タックアンダー」についての解説と、それらを制御するシステムについて紹介します。

音速の壁と衝撃波

音は空気中を伝わる波です。波には横波と縦波がありますが、音波は縦波（疎密波）です。飛行機が空気中を進むと、機体の周囲に発生する空気の振動が音の波となって全方向へ伝わっていきますが、音速に近づくにつれて（つまり飛行機が音の波に追いつくまでに速くなると）進行方向の波が折り重なるようになって、空気の「密」の部分が非常に高い圧力の壁になります。これが「音速の壁」です。そして折り重なった非常に強い波が「衝撃波」と呼ばれています。

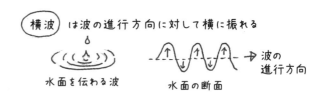

横波 は波の進行方向に対して横に振れる

水面を伝わる波　　水面の断面　　波の進行方向

縦波 は波の進行方向に振れて伝わる

スピーカーから出る音　　空気の分子　　波の進行方向

疎　密　疎　密　疎　密

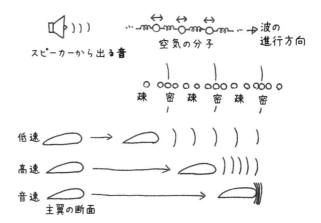

低速
高速
音速
主翼の断面

後退角 1

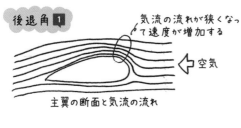

気流の流れが狭くなって速度が増加する

空気

主翼の断面と気流の流れ

後退角

後退角

現代のジェット旅客機の巡航速度は、音速のおよそ 0.7 〜 0.8 倍です（遷音速といいます）。
このぐらいの速度では大きな衝撃波が発生することはありませんが、飛行機が空気をかき分けて進んでいくと部分的に気流の速度が増し、音速に近づくことになります。
主翼や尾翼に衝撃波が発生すると、揚力（飛行機を持ち上げる力）や安定性に大きく影響します。
そこで主翼や尾翼に衝撃波が発生するのを遅らせるために後退角がつけられています。
気流が斜めに当たることによって衝撃波の発生を遅らせることができます。
（揚力については第6章をご覧下さい。）

さて、ここからが本題です

ダッチロール（DUTCH ROLL）

飛行中に気流の変化などで飛行機の姿勢が図①のように左に傾いたとします。すると飛行機は←の向き（左横）にすべり始めます。

すべった状態を上から見ると図②のように気流は斜め左から当たるようになります。

主翼には後退角がついているため、左右の主翼に生じる揚力（飛行機を持ち上げる力）に差が生じ、最初の傾きとは逆方向に飛行機を右に傾ける力が生じます（図③）。

（揚力については第6章をご覧下さい。）

また、垂直尾翼には斜め左から気流が当たり、図②の→のように右向きの力が生じます。すると、機首は左側を向くように機軸の方向が変化します。

一連の動きは、最初に生じた傾きをうち消し、気流に正対する方向へ作用します。ちょうど傾きがなくなるところで止まってくれれば良いのですが、遷音速領域では図④のように最初の傾きとは逆方向まで進んでしまい、左右への傾きが機首方向の変化と共に周期的に続く現象に陥ってしまいます。

これがいわゆる「ダッチロール」という不安定な状態です。

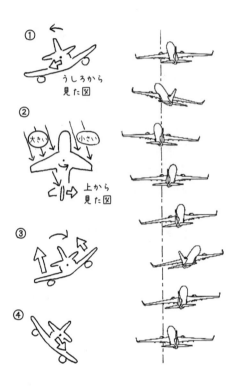

① うしろから見た図
② 大きい 小さい 上から見た図
③
④

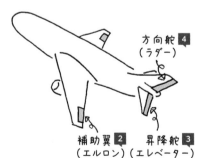

方向舵 **4**（ラダー）
補助翼 **2**（エルロン）
昇降舵 **3**（エレベーター）

ヨーダンパー（YAW DAMPER）

ジェット旅客機などの遷音速機には、ダッチロールを防ぐヨーダンパー（YAW DAMPER）というシステムが装備されています。ヨーダンパーはダッチロールに陥る直前の機体の挙動を高精度なジャイロセンサーや加速度計で検出し、最初の傾きから戻るところで戻りすぎないように（再び安定した姿勢で留まるように）するシステムです。

飛行機の姿勢の制御には主翼や尾翼についている動翼を使いますが、ヨーダンパーで使われるのはそのうちの方向舵（ラダー）という垂直尾翼についている動翼です。

パイロットがその動きを意識することなくヨーダンパーシステムが自動的に方向舵を操作し、いわゆる〝当て舵〟をあててダッチロールを防止し、安定した飛行姿勢を保っています。

タックアンダー（TUCK UNDER）

前述の通り音速の 0.7 ～ 0.8 倍の速度でも飛行機の
周囲の気流は音速に近くなります。

飛行機は気流の中に浮かんで飛んでいるので、主翼・
尾翼に生じる揚力と機体の重心位置のバランスを保
つことが安定した飛行には欠かせません。

中速域までは主翼・尾翼に生じる揚力と重心位置の
関係は①のようになっていますが、速度が
増加して主翼の周囲の気流が加速され弱
い衝撃波が発生しはじめると、主翼の
周囲の圧力分布が変化し、揚力の中
心は徐々に主翼の後方へ移動していきます。

また、主翼の後方の気流は主翼によって下
向きに曲げられますが、主翼に衝撃波が発生しはじめると
下向きの角度が少なくなり、水平尾翼に生じる下向きの
揚力が小さくなっていきます。

その結果、②のように重心位置まわりの主翼と尾翼の揚力
のバランスがくずれて機首が下がることになります。

この現象のことを「タックアンダー」といいます。

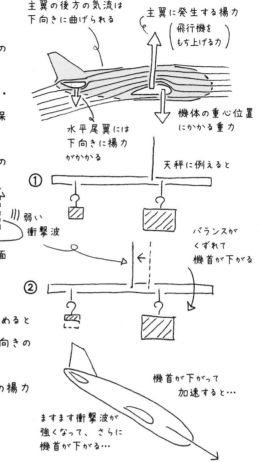

主翼の後方の気流は
下向きに曲げられる

主翼に発生する揚力
（飛行機を
もち上げる力）

水平尾翼には
下向きに揚力
がかかる

機体の重心位置
にかかる重力

弱い
衝撃波

主翼の断面

天秤に例えると

①

バランスが
くずれて
機首が下がる

②

機首が下がって
加速すると…

ますます衝撃波が
強くなって、さらに
機首が下がる…

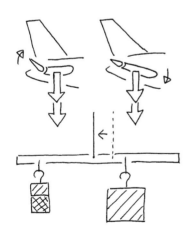

マックトリム（MACH TRIM）

タックアンダーを防止するためには、
速度の増加に応じて水平尾翼につい
ている昇降舵を動かし、下向きの揚
力を増加させる必要があります。

また、機種によっては水平尾翼の角度を変化させます。この
システムを「マックトリム」といいます。

速度センサーによって得られるマックナンバー（いわゆるマッハ数）
に応じて機体の頭下げを防ぐようにコンピューターが自動的に
昇降舵または水平尾翼を動かしてくれます。

日本語で表記さ
れるマッハは英語
ではマックといい
ます。

1 後退翼（各機の比較）

ボーイング787-8

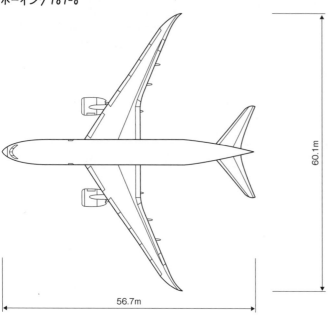

60.1m

56.7m

ボーイング737-800

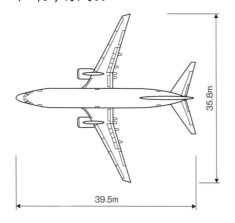

35.8m

39.5m

日本航空機製造式YS-11A

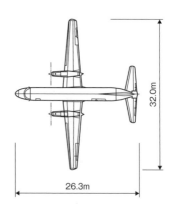

32.0m

26.3m

後退角とは、飛行機の主翼の基準線（翼の前縁から後縁を結ぶ線＜翼弦＞の前方から25％を結んだ線）と胴体の前後軸に直角な線との角度で、旅客機の場合、プロペラ機でほぼ0度、ジェット機で25度〜38度付近にあります。後退角を持つ主翼（後退翼）には音速付近における翼の衝撃波発生を遅らせる効果があります。
ボーイング787は主翼先端で後退角が増していますが、これには翼端から発生する渦による抵抗を減少する効果があるといわれています。（レイクド ウイング チップ：本章の色扉の写真と裏面のトリビアをご覧下さい）

2 補助翼

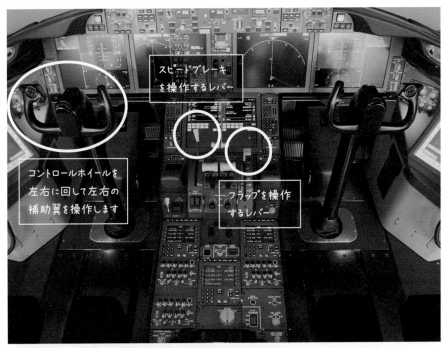

ボーイング787-8

スピードブレーキ
を操作するレバー

コントロールホイールを
左右に回して左右の
補助翼を操作します

フラップを操作
するレバー

離陸、着陸時
主翼外側の補助翼（この機体には内側の補助翼
はありません）がスポイラーと連動して作動します。
スピードブレーキは着陸時に全開になります。フラップ
が少し下がっています。

ボーイング737-800

巡航時
低速用の外側補助翼は固定され、高速用の内
側補助翼が作動します。
フラップは上げられます。
スポイラーは必要時に作動します。

ボーイング767-300ER

3　水平安定板と昇降舵

ボーイング
767-300ER

この点の範囲で水平安定板（スタビライザー）は
作動します

水平安定板（スタビライザー）

昇降舵（エレベーター）

4　方向舵

ボーイング
777-300ER

（第2章以上）

第3章

エンターテインメント

日本国内では1960年代から始まった機内テレビサービスは、大型のパーソナルモニター、さらには4K対応と進化しています。
音楽や映像のサービス方法も、テープやディスクに収納した情報を電気信号に変換して各座席に送る方法から、電波配信された情報を機外アンテナで受信し機内Wi-Fiアンテナから再配信する方法に変わってきました。
写真はエアバスA350の機内です。

今回は座席のイヤホンから聞こえる音楽番組などの音声についてのおはなしです
（国内線仕様）

機種によって違いがありますが、国内線で使用している飛行機では座席のイヤホンを使ってお楽しみいただける音楽番組などのチャンネル数は 10 〜 12 チャンネルあります。（一部空き CH もあり）JAL では音楽・落語番組で8チャンネル、ビデオ音声で1チャンネル、機種により AM ラジオで1チャンネルを使用していて、そのうち音楽番組やビデオ音声はステレオでお送りしています。

これだけ多くの音声信号をチャンネルごとに座席まで電気配線でつなぐと、1束 30 本程度の電線が必要になってしまいます。

一番前から最後方まで計 60 〜 120 本の電線を引くとかなりの重量になります。しかし飛行機は軽くなければいけません。そこで音声データの送り方を工夫してたくさんのチャンネルをたった2本の電線で伝えられるようにしています。

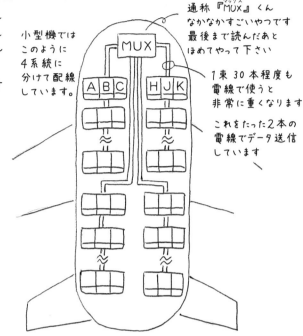

小型機ではこのように4系統に分けて配線しています。

通称『MUX』くんなかなかすごいやつです最後まで読んだあとほめてやって下さい

1束 30 本程度も電線で使うと非常に重くなります

これをたった2本の電線でデータ送信しています

MAIN MULTIPLEXER

主役は MAIN MULTIPLEXER
（メインマルチプレクサー 通称 MUX くん）
座席のイヤホンから聞こえる音声は
MAIN MULTIPLEXER（MUX）という
機器に集められ、ここでアナログ信号から
デジタル信号へと変換されます。
デジタル信号の変換はさまざまな方式がありますが、
MUX くんは PCM という方式でデジタル変換をしています。

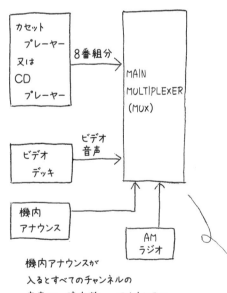

機内アナウンスが入るとすべてのチャンネルの音声が一時中断し、アナウンスがイヤホンから聞こえます。
安全に関する事柄をすべてのお客様にお伝えするために、このような仕組みになっています。

MUX くんはここにあります。
コンピューターなどの電子機器類がたくさん入っている部屋です。（参照：第4章）

PCM（PULSE CODE MODULATION）
パルス　コード　モデュレーション

右の図の曲線は音の波形のアナログ電気信号をあらわしています。

この信号を細かい時間に区切って（サンプリング）信号の大きさを数字で表し（量子化）0と1で表すデジタル信号に置きかえると（符号化）デジタル音声信号になります。

この変換方式をPCMといいます。

時間の区切りの細かさ（サンプリングレート）と量子化の細かさが細かいほど、復元したときにもとの音声信号により近くなります（音質が良い）。

MUSIC CD も PCM で作成されています

A300-600R 型機の MUX くんはサンプリングレートが 30KHz（1秒間を30000に区切る）10BIT（2^{10}=1024 段階）に量子化しています。MUSIC CD のサンプリングレートは 44.1KHz 16BIT（2^{16}=65536 段階）に量子化しているので座席で聞える音楽の音質はちょっと CD に負けています。

音質を良くしようとするとデータ量が膨大になってしまうので、申し訳ありませんが、飛行機ではそこそこで…ってところでご勘弁下さい!!

こんなイメージ

電圧

0　　　　　　　　　　　時間

信号の大きさを数字で表すのが量子化

時間を区切るのがサンプリング

細かく区切るほどより正確な波形をあらわせます。

量子化と符号化はちょっとイメージしにくいかも…

2BIT（2^2=4段階）に量子化と符号化をする場合を考えてみましょう

3
2
1
0 ①②③④

①は0…00
②は1…01
③は2…10
④は3…11

10BIT（2^{10}=1024 段階）に量子化と符号化をするということは、音を情報としてパターン化し、0or1を10コならべて 0000000000 から 1111111111 までの 1024 段階のデジタル信号にするということです。

さて、ここからが MUX くんの腕の見せどころです。

MUX くんは各チャンネル用に入力されたアナログ信号をリアルタイムで PCM デジタル信号に変換したあと、それぞれのチャンネルの信号を分割して1番線から4番線の列車に乗せます。

（小型機で4系統に配線している場合です）

各列車の1号車には1チャンネル、2号車には2チャンネル…10号車には10チャンネルのデータ（ステレオの時は各車両LさんとRさんの2名）が乗っています。

満車になると一斉に発車します。そしてすぐ次の列車の用意をします。

ここに1チャンネル用のデータがのっています

10号車 9号車　　3号車 2号車 1号車

のぞみ 1号

はやぶさ 1号

やまびこ 1号

つばめ 1号

各列車には同じデータがのっています

本当に列車が走るわけではありませんわかりやすく例えているだけですあしからず

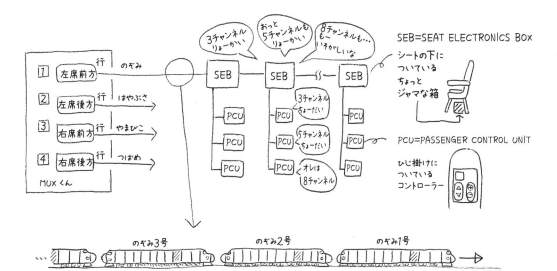

吹き出し内:
- 3チャンネルりょーかい
- おっと5チャンネルもりょーかい
- 8チャンネルも もー、いそがしいな

左の図:
- ① 左席前方 行 のぞみ
- ② 左席後方 行 はやぶさ →
- ③ 右席前方 行 やまびこ →
- ④ 右席後方 行 つばめ →
- MUXくん

- 3チャンネルちょーだい
- 5チャンネルちょーだい
- オレは8チャンネル

SEB=SEAT ELECTRONICS BOX
シートの下についているちょっとジャマな箱

PCU=PASSENGER CONTROL UNIT
ひじ掛けについているコントローラー

のぞみ3号　のぞみ2号　のぞみ1号　→

列車に乗った各チャンネルのデータはレール（2本の電線）を次々に走っていきます。

座席の下に SEB（SEAT ELECTRONICS BOX）という箱がついています。

レールは各座席の SEB につながっていて、列車が次々に通過していきます。

みなさんの座席についているコントローラー（PCU=PASSENGER CONTROL UNIT）で3チャンネルを選ぶと、PCU から SEB に向かって『3チャンネルちょーだい』というリクエストが伝わります。

- お手荷物は上の棚または前の座席の下に入れて下さい
- なんだよこんなとこに変な箱がついていてジャマだなー 荷物が入らないじゃないか…

SEB は次々に通過する列車の 3号車 から PCM デジタルデータを読みとって、アナログ音声信号にもどしてから

のぞみ1号のデータ ＋ のぞみ2号のデータ ＋ のぞみ3号のデータ ＋…

と音声データをつないで PCU へ伝えてくれます。

…やっとイヤホンからゴキゲンな音楽が聞こえてきました…

ちなみに、データのつなぎ目はビミョーに途切れるのですが、人間の耳ではわからないくらいなので連続した音声として聞こえます。

SEB は複数の PCU からのリクエストを同時に処理して各座席で別々の音声を聞くことができます。

がんばって働いているので、あまりけとばさないようにしてあげて下さい。

このように複数のデータを分割して効率よく伝える伝送方式を、時分割多重伝送方式（TIME DIVISION MULTIPLEX）といいます。

ちなみに…

- リクライニングボタン
- 空気式イヤホンジャック
- 電気式イヤホンジャック

普通席にお座りのみなさんには空気式イヤホンをおくばりしていましたが、現在はすべての座席に電気式イヤホンジャックがついています。

iPod やスマートフォン用にイヤホンをお持ちでしたら、電気式イヤホンジャックがお使いいただけます。

注：本編の記事は執筆時期（2011年）当時の仕様です。

番外1 機内インターネットサービスについて

現在では機内でもWi-Fiなどのインターネットサービスが使えることが当たり前のようになってきました。日本のエアラインでは、国際線においては2012年ころから、国内線では2014年ころからインターネットサービスが導入されてきました。

機内インターネットが地上とつながる経路には大きく2つの方式があります。

(1) 空対地通信方式 (ATG：Air-to-Ground) (図1)

飛行中の航空機と地上局が直接通信する方式で、航空路をカバーするように配置された地上アンテナを切り替えながら、通信を継続していく方式です。

機上側のシステムが比較的簡素なもので済むという利点がありますが、地上アンテナ、通信ネットワーク等のインフラが必要となります。

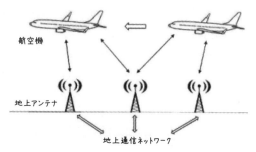

図1 空対地通信方式

(2) 衛星通信方式 (Satellite) (図2)

飛行中の航空機が人工衛星経由で航空地球局を介して通信する方式です。人工衛星との通信を行うため、機上には大きなアンテナが必要となり、常に人工衛星を捕捉し続ける必要があるため機上システムが複雑になりますが、航空地球局を除き地上インフラは基本的に不要であり洋上、山岳地帯といった地表の条件に左右されることなく通信が可能です。

また国際線のように長距離を飛行する場合には、航空路をカバーしている複数の人工衛星（静止衛星）の切り替え（ハンドオーバー）を行いながら通信を継続していきます。

衛星通信方式の機上システムは、機外アンテナ、コントロールユニット/送受信機、無線アクセスポイント、コントロールパネル、という主要構成部品から成り立っています。(図3)

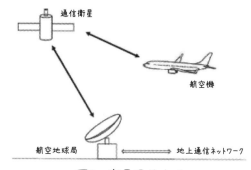

図2 衛星通信方式

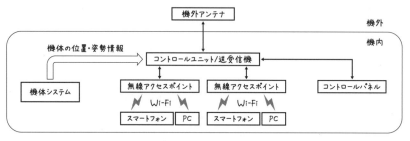

図3 機上システム

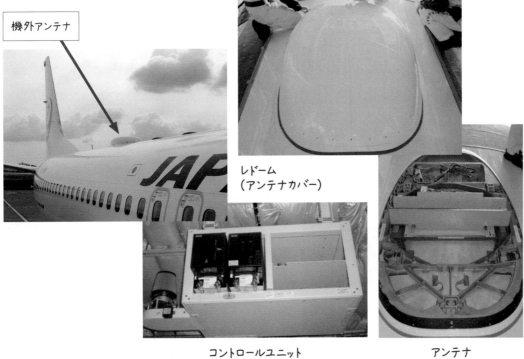

機外アンテナ

レドーム
（アンテナカバー）

コントロールユニット

アンテナ

無線アクセスポイント
客室内の天井裏に数か所取り付けられており、お客さまのスマートフォン、タブレット、ノートPC等から発信された電波を受信してコントロールユニットに伝送するとともに、コントロールユニットから受け取った情報を機内に電波で発信します。

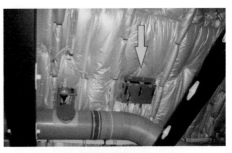

無線アクセスポイント

コントロールパネル
主電源スイッチを有し、システムのON/OFFのコントロールを行うとともに、モニター上にシステムの状況を表示します。

コントロールパネル

機内インターネットサービスの対応可能機材であることを示します。
JALホームページにてご確認いただけます。

番外2 整備士による機内エンターテインメント入れ替え作業

JALの機内での楽しみのひとつが映画プログラム。人気映画がラインナップされています。オーディオプログラムでは最新の人気曲が聴けるようになっています。これらをどのように飛行機で楽しめるようにしているのかをご紹介します。

飛行機のINFLIGHT ENTERTAINMENT(以下IFE)システムには、ノートパソコンとハードディスクを使い、毎月の映画や音楽情報のデータを書き換えています

月末の映画内容が変わるたびに整備士が1機毎、コンテンツ情報を更新しています。

航空機の型式毎にIFEシステムも異なるため、システムに合ったハードディスクを持参し、ノートパソコンとIFEシステムをつなぎます。

この更新には、おおよよ4時間程度かかる大事な作業です。

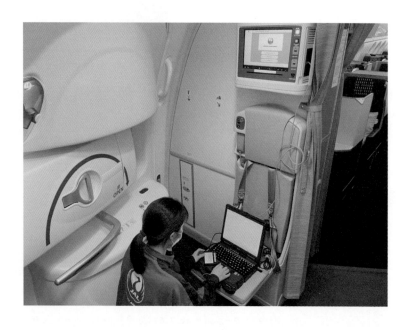

最新のIFEシステムでは、映画を見ることはもちろんのこと、音楽やゲーム、フライトマップを見ることができます。
さらには、機内販売を楽しむことやお食事を頼むことができます。
※国際線機材一部クラスでのサービスとなります。

コンテンツを入れ終えたら確認作業

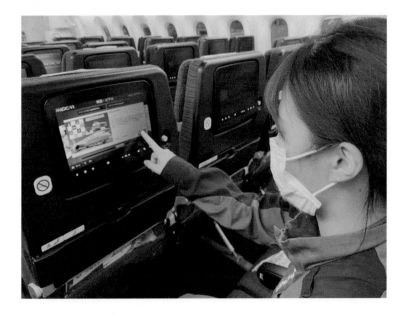

コンテンツを入れ終わると、整備士は各クラスのマニュアルで定められた席でコンテンツが正しく入っているか、正しく動作をするかを確認します。
整備士はお客さま目線で作動するかを細部まで確認して、お客さまの楽しいフライトのために大切にコンテンツの更新作業にあたっています。

寄稿：株式会社JALエンジニアリング

おまけ

安全・安心な客室をつくる

お客さまが機内のエンターテインメントを楽しむためには、客室が安全・安心な空間であることが不可欠です。新たな感染症の予防対策の開発と実施も重要な要素です。

日本航空株式会社は、化粧室、座席やひじ掛け、収納棚、壁面といった、お客さまが直接手を触れる箇所を中心に、コーティング剤の塗布を実施しました。
使用するコーティング剤は、触媒の作用によりその効果が長時間持続するもので、抗菌製品技術協議会（SIAA）により抗ウイルス・抗菌性能と安全性が認証されています。
コーティング済みの機体入口には、「SIAA」認証マークが表示されています。

日本航空株式会社2021年4月23日付プレスリリースより作成

今回開発したコーティング剤の抗菌抗ウイルス作用のメカニズムを簡潔に説明すると、「加工面に塗布した有効成分の触媒作用により、菌やウイルス等に対して酸化還元反応を引き起こし、それらを不活性化させる。」ということになります。
なお、このコーティング剤は光触媒ではないため、夜間や光の当たらない場所でも効果を発揮するという特徴があります。

株式会社JALエンジニアリング技術部技術企画室客室仕様・技術グループより

（第3章以上）

第**4**章

電源系統

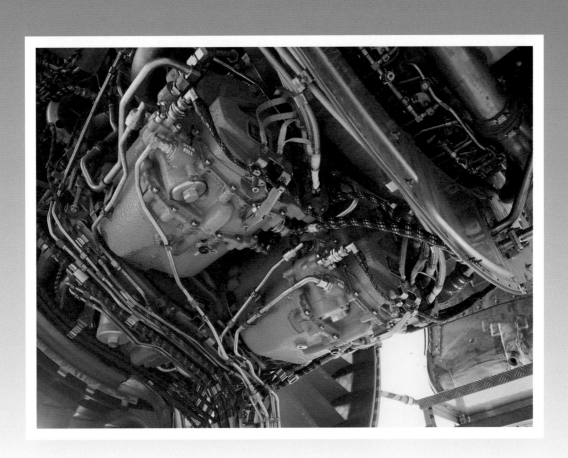

ボーイング787は多くの装備を電気駆動としているため、従来の機種と比べて多くの電力を使用します。そのため、エンジンには2台づつ、計4台の発電機がついています（従来の機種では1台づつ計2台）。これらはエンジンの軸の回転により駆動されるため、エンジンスタート時には外部電力や補助エンジンからの電力によってモーターとなり、エンジンの軸を回転するスターター機能も果たす二刀流の装備品です。

交流電源

この章は「電源」についてのお話です。

みなさんにおなじみの電源といえば…

家庭用コンセントは交流 100V 50Hz（東日本）／60Hz（西日本）

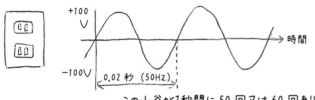

2つの電極の間の電圧が図のように +100V〜−100Vで交互に入れかわりながら変化しています。

この山谷が1秒間に 50 回又は 60 回あります

自動車の電源は直流 12V 又は 24V

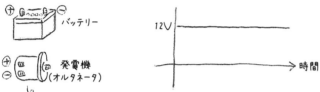

電極の端子間の電圧が変化せず 12V（又は 24V）で一定です

内部は交流発電機ですが整流して直流電圧を出力しています

ここでは紙面の都合により直流電源については省略して交流電源について解説していきます

では飛行機（旅客機）は… 交流3相 115V 400Hz および直流 28Vが製造国、メーカーを問わず共通の規格となっています。

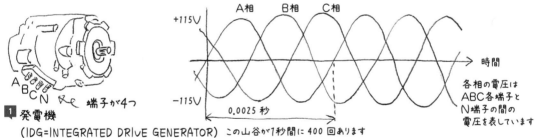

A相　B相　C相

+115V

−115V

0.0025 秒

時間

各相の電圧は ABC各端子と N端子の間の電圧を表しています

端子が4つ

1 発電機

（IDG=INTEGRATED DRIVE GENERATOR）この山谷が1秒間に 400 回あります

内部ではこのように発電コイルがつながっています。

737 型機

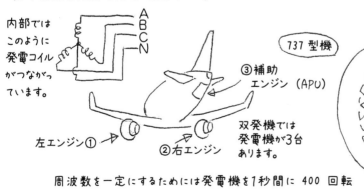

③補助エンジン（APU）

左エンジン①

②右エンジン

双発機では発電機が3台あります。

ここに発電機がついています。

2

周波数を一定にするためには発電機を1秒間に 400 回転（24,000RPM）で変化しないように駆動する必要があります。

補助エンジンは常に一定の回転数で運転しているので、補助エンジンに取りつけられている発電機は、400Hz を維持できます。

問題は主エンジンですが…エンジンは IDLE（緩速）から TAKE OFF POWER（離陸最大出力）まで回転数が大きく変動します。そこでエンジンのギアボックスと発電機の間に、定速駆動装置 **3**（CSD=CONSTANT SPEED DRIVE）を入れて発電機が 400Hz を維持できるようにしています。

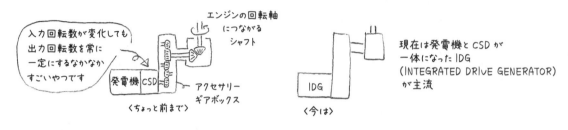

交流3相電力は主として大きな出力を必要とする電気モーターや直流電源へ変換するために使われます。

使用電力がそれほど大きくない照明や電気・電子機器類は、3相のうちの1相だけを交流電源として使用しています。

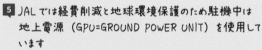

交流電源は並列につなぐことが非常に難しいという問題があります

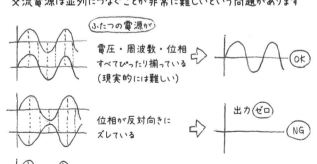

ふたつの電源を同時に同じ配電盤につなぐことができないため、電源を切り換えるにはまず使っている電源を切りはなし、その後に次の電源をつなげるという手順が必要になります。そのため、電源の切り換え時には非常に短時間ですが、一瞬電源が途切れます。
出発時のエンジン始動や到着時のエンジン停止に伴って客室でも照明が「チカッ」と途切れるので電源の切り換わりがわかります。

飛行機で使用しているコンピューターなどの各種電子機器類は瞬間的な電源ロスに耐えられるように設計されていますが、たまに電源切り換え後に操縦室で不具合表示が出ることがあります。
出発のエンジン始動の際にこのような不具合表示が出たときは、私たち整備士は無線式インターホンでパイロットと連絡を取り合って復旧処置をパイロットに依頼し、異常がないことを確認して機体から離れていきます。

さて、ここからさらにマニアックな内容になりますが…

MD90型機は交流発電システムが他の機種とは大きく異なっています

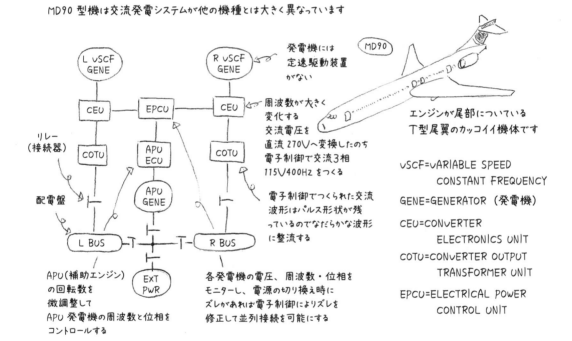

導入当初は非常に泣かされました、…トホホ…。その後メーカーと、JALを含むMD90型機を導入した航空会社整備担当部署が協力して改良を重ね、安定した品質を保つようになりました（当該機種は2013年に退役しました）。
かなり説明をすっとばしますが、このシステムでは各発電機で作られる交流電源の電圧、周波数、位相を微調整して一時的な並列接続を可能としています。そのため電源の切り換え時に全く電源が途切れることがありません。
非常に優れたシステムでした。

1 発電機（ジェネレーター）

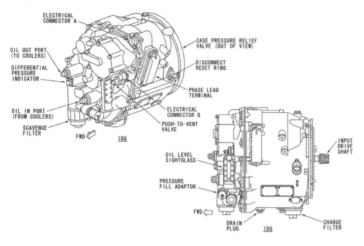

ボーイング737-800用の発電機
(INTEGRATED DRIVE
GENERATOR : IDG)

2 発電機の装備位置（B787用エンジン　GEnx-1B）

3 発電機の定格駆動 (定速駆動装置)

航空機の交流発電機は、電圧を一定に保つと同時に
周波数も一定に保つ必要があります。このため、エンジ
ンと発電機の中間に定速駆動装置を設け、エンジンの
回転数が変化しても、発電機の回転数を一定に保つ
ようにしています。
　右はその例で、入力軸の回転数が3,800rpmから
8,700rpmまで変動しても、出力軸の回転数を8,000rpm
に保つことができ、最高出力は約72kWとなります。これ
で定格出力60kVAの発電機を駆動しています。

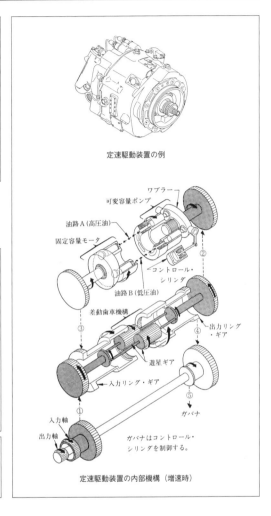

定速駆動装置の例

ワブラー
可変容量ポンプ
油路A(高圧油)
固定容量モータ
コントロール・
シリンダ
油路B(低圧油)
差動歯車機構
出力リング・ギア
遊星ギア
入力リング・ギア
ガバナ
入力軸
出力軸
ガバナはコントロール・
シリンダを制御する。

定速駆動装置の内部機構 (増速時)

装置は、油圧ポンプ、油圧モーター、コントロールシリンダ、
ワブラーにより構成されます。
　エンジン側が規定の回転数のときには、回転がそのまま
発電機側に伝わりますが、規定回転数以下のときには、
コントロールシリンダがワブラーの傾きを変えてエンジン側
がポンプとなり、発電機側のモーターを不足分だけ増速
します。
　また、規定回転数以上のときには、逆に発電機側が
ポンプとなってエンジン側のモーターを回すので、超過分
だけ減速することになります。

航空工学講座　第10巻
航空電子・電気装備
(日本航空技術協会) より作成

4 電子機器類 (ブラックボックス)

多くの電子機種やコンピューター(ブラックボックス)
は冷却機能の付いた専用の棚に納め、個別に
空冷されています。

5 地上電源施設

エアバスA350-900

航空機の補助動力装置（APU：第13章参照）に
よる電気供給はCO_2削減のため使用を控えるように
しており、地上での電源は地下ケーブルで結ばれた
空港の電気施設や電源車が使用されています。大
型機には交流3相4線式115V400Hz、小型機に
は直流28Vが供給されます。（大型機では機体内
部で交流から直流にも変換されています）

外部電力を接続するケーブルには4線（A、B、C、N）
と電力供給が可能状態であるランプを点灯させる2
線（E、F）を接続させる6穴があいています。
4線と2線の大きさが違うのは逆極性/逆位相の
電力が供給されない（つなぎ間違えしない）ための
工夫です。

番外1 ラム エア タービン (Ram Air Turbine : RAT)

エアバスA350-900

エンジン、補助エンジンの全ての発電機が故障した際に機外に出す緊急用風力発電機です。

7台装備された発電機（含む緊急用）

ボーイング787は飛行中に必要な電力がすべてエンジンに取り付けた発電機から供給されています。
発電機は、主翼にある左右のエンジンにそれぞれ2台ずつ、計4台が装備されており、普段の飛行中は、もっぱらこの発電機が必要な電力をすべて供給しています。また、これらエンジンの発電機が故障した際のバックアップ用として、補助動力装置にも2台の発電機が装備されており、さらに、これら6台すべての発電機が故障するという万一の事態に備えた緊急用として風力発電機1台が装備されています。（普段は胴体に内蔵されており、緊急時に機外に展開します）

日本航空株式会社HPより

番外2　ボーイング787のリチウムイオン バッテリー

ボーイング787にはエンジンや補助動力装置で発電された交流電力を直流に変えて充電されるリチウムイオン バッテリーが搭載され、青く塗られたバッテリーケース内にセルが8個収められています。セル1個は約4ボルトの電圧があり、これを8個直列に接続することで、バッテリーとしては32ボルトの電圧出力を得ています。また、バッテリーには、セルの他に、セルの電圧やバッテリーの温度を監視、制御するための電子回路が内蔵されています。

また、バッテリーの電圧を監視、制御している装置は、バッテリーの充電装置にも組み込まれています。

この結果、ボーイング787のリチウムイオン バッテリーにおいては、バッテリー、充電器に内蔵された計4重の監視制御用電子回路で、過剰な充電（過充電）を防止し、セルの過熱を防いでいます。

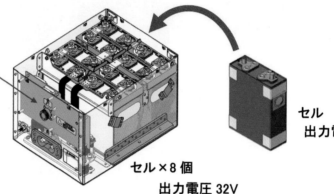

バッテリー監視用
電子回路(2台)

セル
出力電圧 4V

セル×8個
出力電圧 32V

バッテリーの内部構造

日本航空株式会社HP＞安全品質＞リチウムイオン・バッテリー
より抜粋して作成

（第4章以上）

第**5**章

操縦系統
（その１）

ボーイング787のコントロールホイールとコントロールコラム、足元にはラダーペダルが見えます。コントロールコラムは押したり引いたり、その上のコントロールホイールは左右に回します。ラダーペダルは足で押し込みます。ペダルのつま先部分の動きで車輪のブレーキがかかります。動きはすべて電気シグナルに変換されて、動翼やブレーキを作動させます。

第5章 操縦系統（その1）

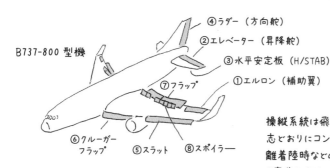

B737-800 型機

④ ラダー（方向舵）
② エレベーター（昇降舵）
③ 水平安定板（H/STAB）
① エルロン（補助翼）
⑦ フラップ
⑥ クルーガーフラップ
⑤ スラット
⑧ スポイラー

この章から2回に分けて、いかにも飛行機らしいテーマ「操縦系統」（FLIGHT CONTROL SYSTEM）のお話です

操縦系統は飛行中の飛行機の姿勢をパイロットの意志どおりにコントロールするとともに、上昇・降下・離着陸時などの段階に合わせて飛行機の空力特性を変化させるシステムです。

① エルロン（補助翼） 1

エルロンは機体を左右に傾ける又は傾きをもとに戻すために使われます。
飛行機はオートバイと同じように傾けることによって旋回し、機首の方位を変えます。

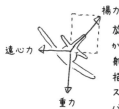

揚力
遠心力
重力

旋回中にかかる力のバランスがつり合っていれば④の方向舵を使わなくてもきれいな弧を描いて旋回しますが、バランスがとれないときは方向舵でバランスをとります。

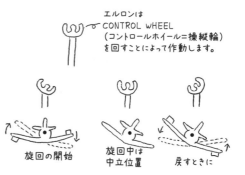

エルロンは CONTROL WHEEL（コントロールホイール＝操縦輪）を回すことによって作動します。

旋回の開始
旋回中は中立位置
戻すときに

エルロンリバーサル（エルロンの逆効き）

小型機と中・大型機ではエルロンの数に違いがあります。
小型機ではエルロンは主翼の端部の片翼1ケ所にしかありませんが、中・大型機では端部と中間部で片翼2ケ所ついています。
中間部のエルロンは飛行中常時作動しますが、端部のエルロンは低速時にしか作動しません。

小型機（737、MD90）　　中・大型機（767、777）

なぜかというと…飛行機の主翼は軽量かつ強くするためにある程度しなやかに作られています。
小型機では問題になりませんが、中型機以上の大きさの主翼端部で高速時にエルロンを作動させると主翼が「ねじ曲げられる」という現象が起こります。翼端を下げるためにエルロンが上がると、主翼端部がねじ曲げられて、気流に対する迎え角が増加し、揚力が増えてしまいます。反対側の主翼は逆に揚力が減少します。結果的に意図する方向と反対に飛行機が傾きます。この現象をエルロンリバーサルといいます。
エルロンリバーサルを防ぐために高速時は翼端部のエルロンは中立位置で固定され、舵のききにくい低速時のみ翼端部のエルロンが作動するようになっています。

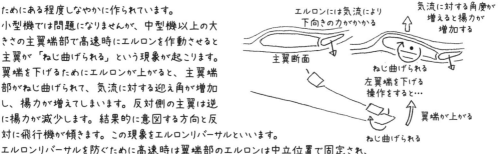

エルロンには気流により下向きの力がかかる
主翼断面
ねじ曲げられる
左翼端を下げる操作をすると…
気流に対する角度が増えると揚力が増加する
翼端が上がる
ねじ曲げられる

差動エルロン

エルロンを上下同じ角度で作動させたときの気流による抵抗はエルロンを下げたときの方が大きくなります。

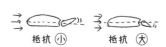

抵抗 小　　　抵抗 大

右に曲がるとき
翼端上げる（エルロン下げる）
翼端下げる（エルロン上げる）
抵抗大
抵抗小
（エルロン作動角が上下同じだと）

エルロンの作動による左右の空気抵抗の差は旋回によって機首方位を変えるのを防げる向きにはたらきます。
これでは具合がわるいので、右の図のようにエルロンの作動角は上げる／下げるで差をつけています。
これを差動エルロンといいます。

15°上がる
10°下がる
差動エルロン

②エレベーター（昇降舵）&③ホリゾンタルスタビライザー（水平安定板） **2**

　└ 以下 H/STAB と略します

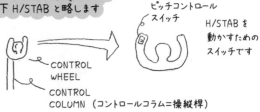

ピッチコントロール
スイッチ

H/STAB を
動かすための
スイッチです

飛行機は離陸、上昇、巡航、降下、着陸という縦方向の経路をたどって目的地まで飛びますが、それぞれの経路に適した飛行姿勢に合わせたり、その姿勢を保つためにエレベーターと H/STAB が使われます。

CONTROL
WHEEL

CONTROL
COLUMN（コントロールコラム＝操縦桿）

前後に傾けることによってエレベーターが
作動します

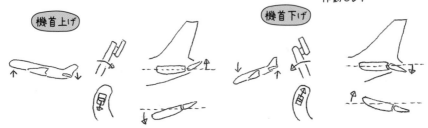

機首上げ　　　　　　　　　　　機首下げ

例えば水平飛行している状態から上昇に移る場合を考えてみると…

Ⓐ 水平飛行から

Ⓑ 操縦桿を引いて
　尾部を下げ、機首を
　上げて上昇に移る

Ⓒ 姿勢を保つようにピッチコントロールスイッチを下向きに操作して操縦桿を戻す

 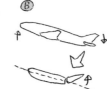 

機軸

こうすることによって上昇中に操縦桿に力をかけつづける必要がなくなります。
H/STAB とエレベーターがまっすぐの方が気流による抵抗が少ないという利点もあります。

離陸時にはあらかじめ離陸後の上昇に適した角度に H/STAB を合わせておきます。
離陸滑走中は操縦桿を前に倒しておき、離陸速度に達したとき少しだけ操縦桿を引けば飛行機が浮き上がり、操縦桿に力をかけない状態で適切な上昇率を保つことができます。
（もちろんパイロットが必要な微調整をします）

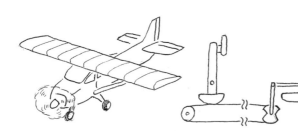

人力で舵面が
動きます

小さな飛行機では舵面を動かす動力として「人力」でも充分ですが、旅客機では主として「油圧」を使います。
操縦桿と舵面が直接つながっていれば舵面に作用する空気力が操縦桿に伝わり、機速に応じた「操舵感覚」（遅いときは軽く、速いときは重い）が伝わりますが、油圧作動の舵面では操舵感覚に変化はなくなります。
エレベーターにおける操舵感覚は、高速時の過度の操作を防ぐためにパイロットにとっては重要なものであるため、旅客機では機速に応じた操舵感覚をコンピューターによって人工的につくり出しています。

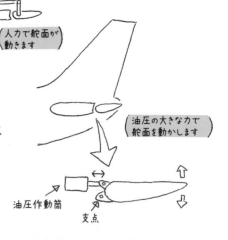

油圧の大きな力で
舵面を動かします

油圧作動筒

支点

自動車のパワーステアリングが車速が速くなるにつれて重く
感じるように作られているのと同様です

④ラダー（方向舵） 3

ラダーは垂直尾翼の後ろにある動翼です。
①のエルロンのところで紹介した通り、旋回
中にバランスを取るために使われますが、その
他に次のような使われ方をします。

左足を
踏み込むと

右足を
踏み込むと

足もとにラダーペダル
があります

機首が
左に振れる

機首が
右に振れる

1 着陸進入時のクラブアングルを保つ

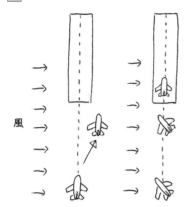

風

横風が強いときの着陸進入時に、機首を滑走路にまっ
すぐ向けて進入すると、風に流されて滑走路から外れて
しまいます。
このようなとき方向舵を使って機首を風上側に向けて、
カニ（CRAB）の横走りのように進入します。
着陸直前に、方向舵を逆に向けて機首を滑走路に合
わせて着陸します。

2 地上高速滑走時の操向補助

飛行機が地上をゆっくりと走行するときは、ステアリ
ングホイール（車のハンドルに相当します）を回すこと
によって前輪の向きを変えますが、離陸滑走や着陸
滑走などのスピードが速いときはラダーペダルを踏み
込むことによって進行方向を変えます。

ステアリングホイール
（低速走行で大
きく向きを変える
ときに使います）

ステアリングについては
第9章参照

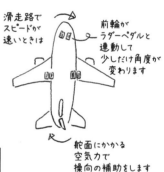

滑走路で
スピードが
速いときは

前輪が
ラダーペダルと
連動して
少しだけ角度が
変わります

舵面にかかる
空気力で
操向の補助をします

3 片側エンジン不作動時のモーメント補正

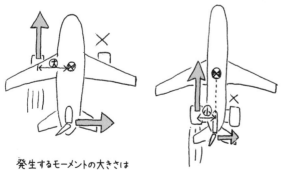

発生するモーメントの大きさは
エンジンの取りつけ位置によって異なります。主翼にエン
ジンがついている場合は、モーメントが大きく、ラダーの
舵角もより多く必要になります。既に引退したMD90
型機のように尾部にエンジンが装備されている機体で
は少ない舵角で安定します。

双発機で仮に片側エンジンが飛行
中に停止してしまったとしても、飛行
機は安全に着陸まで飛行を継続で
きるように設計されています。

（もちろんそんなことが起きないように
整備士もパイロットも日々努力を重ね
ています）

このとき非対称の推力により
発生する回転力（モーメント）を、ラダー
操作によって舵面に生じる横向きの
力でうち消すことにより直進できるよう
になります。

※その他ここには記載していませんが、②エレベーター、③H/STAB、
④ラダーは第2章安定性制御編で紹介したようにマックトリムシステム
とヨーダンパーシステムを構成しています。

1 エルロン（補助翼）

外側エルロン（低速用）

内側エルロン（高速用）
離陸・着陸時のフラップ作動時はフラップに連動。

ボーイング787-9

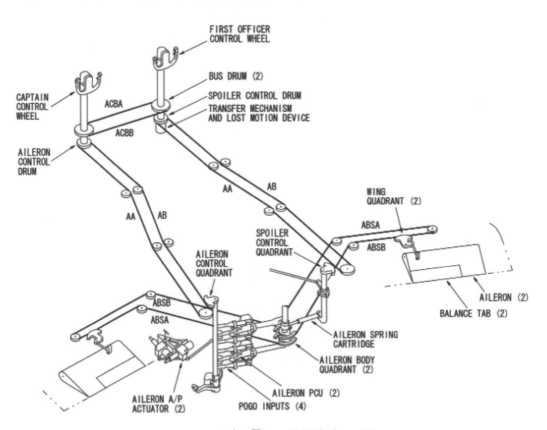

FIRST OFFICER CONTROL WHEEL

BUS DRUM (2)

SPOILER CONTROL DRUM

TRANSFER MECHANISM AND LOST MOTION DEVICE

CAPTAIN CONTROL WHEEL

ACBA

ACBB

AILERON CONTROL DRUM

AA

AB

AA

AB

AILERON CONTROL QUADRANT

SPOILER CONTROL QUADRANT

WING QUADRANT (2)

ABSA

ABSB

AILERON (2)

BALANCE TAB (2)

ABSB

ABSA

AILERON SPRING CARTRIDGE

AILERON BODY QUADRANT (2)

AILERON A/P ACTUATOR (2)

POGO INPUTS (4)

AILERON PCU (2)

エルロン（補助翼）の操縦系統の一例
（ボーイング737-800）

2 エレベーター（昇降舵）とホリゾンタルスタビライザー（水平安定板）

スタビライザー用トリムスイッチ
（機長席）

ボーイング787-8

ボーイング787-8

バーチカル テール（垂直尾翼）
　前側：フィン（垂直安定板）
　後側：ラダー（方向舵）

ホリゾンタル テール（水平尾翼）
　前側：ホリゾンタルスタビライザー
　　　　（水平安定板）
　後側：エレベーター（昇降舵）

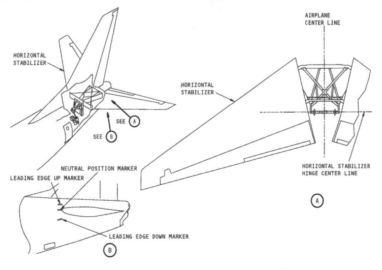

ホリゾンタルスタビライザー（水平安定板）の構成の一例
（ボーイング737-800）

3 ラダー（方向舵）とフィン（垂直安定板）

垂直尾翼の上部に水平尾翼がついたT型尾翼です。
その特徴については51ページをご覧ください。

ATR42

ボーイング
777-300ER

（第5章以上）

第6章

操縦系統
（その2）

トリビア

翼の上面のスポイラーは機体の操縦時のほか、降下や着陸の際の減速時に翼面に立ち上げられます。写真のボーイング737-800は、着陸後にフラップを引き込みながら誘導路に入ってきたようです。これからスポイラーも下げて、指定のスポットに向かいます。フライトお疲れさまでした。

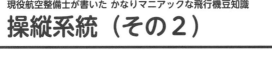
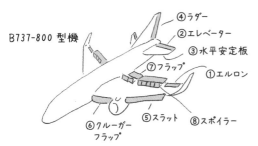

B737-800 型機

④ラダー
②エレベーター
③水平安定板
⑦フラップ
①エルロン
⑥クルーガー
　フラップ
⑤スラット
⑧スポイラー

この章は前章に引き続き「操縦系統」の後編です。

前編に記載したエルロン、エレベーター、水平安定板、ラダーはパイロットが飛行機の姿勢をコントロールするために使いますが、この後編で扱う残りのシステムは、離陸・上昇・巡航・降下・着陸の各飛行段階に応じて飛行機の気流に対する特性を変化させるものです。

〈航空力学の基礎〉

今回の内容を理解していただくために、飛行中に主翼に発生する、飛行機を持ち上げる力（揚力 LIFT＝L）と空気抵抗（抗力 DRAG＝D）を決める要素について少し解説します。

揚力・抗力は右図の下にある計算式で求められます。なにやら難しい式に見えますが、ポイントは以下の3点です。

・揚力・抗力とも速度の2乗に比例する
　　速度が2倍になれば揚力・抗力とも4倍
　　速度が1/2倍になれば揚力・抗力とも1/4倍

・揚力・抗力とも主翼面積に比例する
　（主翼が広がると揚力・抗力が増える）

・揚力は揚力係数、抗力は抗力係数に比例する
　（c_L・c_Dは右図のように変化します）

☆ちょっと恐い "失速"（STALL：ストール）☆

飛行機の速度を落として必要な揚力を得るために機首上げをしていくと、主翼の気流に対する角度が大きくなりすぎてそれまで主翼上面に沿って流れていた気流がはがれてしまいます。（失速）

こうなると飛行機を持ち上げる力が失われ、一気に高度が低下します。

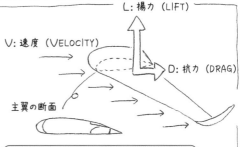

L: 揚力（LIFT）
V: 速度（VELOCITY）
D: 抗力（DRAG）
主翼の断面

$$L=\frac{1}{2}\rho V^2 \cdot S \cdot c_L \qquad D=\frac{1}{2}\rho V^2 \cdot S \cdot c_D$$

ρ: 空気密度
V: 気流の速度
S: 主翼面積
c_L: 揚力係数
c_D: 抗力係数

c_Lとc_Dは主翼断面の形状と気流に対する主翼の角度によって変化します

上面のふくらみが
小 → c_L c_D 小
大 → c_L c_D 大

気流に対する角度が
小 → c_L c_D 小
大 → c_L c_D 大

気流に対する主翼の角度を「迎え角」といいます

⑤スラット（SLAT）**1**

スラットは主翼の前部（LEADING EDGE：前縁）についている動翼です。2段階に前方へせり出すように展開します。

Aの位置まで展開すると若干主翼面積が増え、主翼上面のふくらみが増すことによって揚力が増加します。しかし、スラットのいちばん大切な働きはBの位置まで展開することによって発揮されます。

前述のとおり迎え角が大きくなりすぎると、失速が起こり、揚力が急激に失われてしまいますが、スラットは主翼下面から上面に気流を導くことによって上面から気流がはがれないようにして失速を防ぎます。結果として、より低速で安定して飛行することができるようになります。

機種によっては、失速防止装置の働きとして飛行中に失速に近づくとスラットがAからBへ自動的に展開する機能を備えています。

Ⓐ
Ⓑ

⑥クルーガーフラップ（前縁フラップ）**1**

クルーガーフラップはスラットと同様に主翼の前部についていますが、スラットのようには主翼との間にすきまを作らず主翼上面のふくらみを増すことによって揚力を見かけ上、増加させるものです。

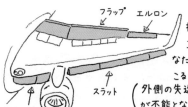

操縦系統から少し話がそれますが、失速が主翼の全域で同時に起こると非常に危険なため、主翼の設計は内側の失速が先に起こるように考慮されています。
（外側の失速が先に起こるとエルロンによる機体のコントロールが不能となるため、わざと内側を先に失速させます。）

このレイアウトも翼端失速防止のため…だと思いますが

明記している資料がないのでちょっと自信がありません

一般的には主翼の迎え角が "内側で大きく外側で小さく" なるように、内から外へいくにしたがってねじれた形にしたり、上面のふくらみを内側で大きく外側で小さくなるように製作されています。

レバーの頭はどの機種も翼の断面の形状をしています

⑦フラップ（後縁フラップ）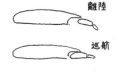

フラップは主翼の後部（TRAILING EDGE：後縁）についている動翼です。主翼面積を大きく増やし、翼上面のふくらみを増すことによって揚力を大幅に増加させます。
飛行機はできるだけ低い速度のほうがより安全に短い滑走距離で離着陸できるため、低い速度で充分な揚力を得るためにフラップを展開します。
フラップは揚力が大幅に増加するのと同時に抗力も大幅に増加します。

離陸　巡航　着陸

フラップ上面の気流がはがれないようにすきまをあけて下面から上面へ気流を導きます（スラットと同じ効果）

スピードブレーキレバー　フラップレバー

737型機

フラップ、スラット、クルーガーフラップはすべて1本の操作レバーでコントロールします

0 - 1 - 2 - 5 - 10 - 15 - 25 - 30 - 40

スラット中間位置　スラット全展開
クルーガーフラップ展開
スラット クルーガーフラップ フラップすべて格納します

フラップは数字が示す角度まで展開します。

⑧スポイラー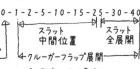

スポイラーは主翼の上面に装備されています。「SPOIL＝～を台無しにする ～をダメにする」という意味が示すとおり、主翼の揚力を減じる働きがあります。

機種によって枚数や大きさが違います。
737　MD90

使い方として以下の3通りがあります。

① ロールスポイラー
片翼のスポイラーがエルロンと連動して動き、旋回時に機体を傾けるため又は傾きを戻すために使われます。

小さく　大きく　スポイラーが展開して傾きやすくなる

スポイラーがエルロンと連動して作動することによってエルロンの作動角を小さくすることができるため、操縦系統（その1）で紹介したエルロンリバーサルやアドバースヨーなど好ましくない現象を抑制することができます。

（エルロンリバーサル　翼のねじれによるエルロンの逆効き
アドバースヨー　エルロンの空気抵抗差による旋回方向と逆向きの機首偏向）

② スピードブレーキ
飛行機が巡航高度から降下していくとき、エンジンの出力を最小まで絞って自転車がなだらかに坂道を下るように目的地まで一直線に降下してゆくと最も効率が良いのですが、現実にはなかなかそうはいきません。
航空交通管制上の制約や、気流の悪い空域を避けるために短い移動距離の間に大きく高度を下げる必要があったりします。低い高度では飛行機にも制限速度があるので、その前に減速する必要もあります。

機首下げ　大きく降下すると
どんどん加速する

機首下げにより大きな降下率で高度を落とそうとすると、飛行機は急な坂道を下る自転車のようにどんどん速度を増してゆき、構造の強度上の制限速度を超えることもあります。そこでスピードブレーキレバーを引いて両翼スポイラーを展開し、揚力を減少し、かつ抗力を増加します。必要な揚力を得るために機首を上げ、揚力を調整しつつ主翼や機体全体に生じる抗力を増加させることにより加速しすぎることなく、大きな降下率で高度を落とすことができるようになります。

両翼のスポイラーを展開して（開度はレバーで調整）

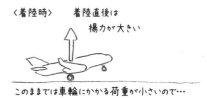

③ グランドスポイラー

空港の滑走路の長さには限りがあり、ジェット旅客機にとっては「ほんとうはもう少し長ければいいんだけどなー」と言いたいところです。限られた滑走路長で着陸時や離陸中断時に安全に停止するために頼りになるのが車輪のブレーキと逆推力装置です。グランドスポイラーは車輪のブレーキをアシストするために使われます。

着陸直後や加速後の離陸中断時は主翼に生じる揚力により、車輪には機体重量による荷重が少ししかかからず、車輪ブレーキの効果が低下してしまいます。そこで、全スポイラーを一気に最大角度まで展開させ、主翼の揚力をできる限り減少させることにより荷重を車輪にかけてブレーキの効果を高めます。

このときパイロットの手は逆推力装置を操作するためにふさがってしまうので、グランドスポイラーは自動的に展開するしくみになっています。

<着陸時>　着陸直後は揚力が大きい

このままでは車輪にかかる荷重が小さいので…

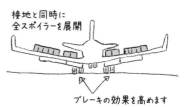

接地と同時に全スポイラーを展開

ブレーキの効果を高めます

番外編　パイロンフラップ

MD90型機には他の機種にはない特別な操縦系統が装備されていました。

MD90型機のようなT型尾翼機は主翼が失速を起こしてしまった場合に主翼上面からはがれて乱れた気流が水平安定板とエレベーターに届き、舵面を操作しても全く効かなくなってしまうという、ちょっとやっかいな特徴があります（ディープストール：DEEP STALL）。

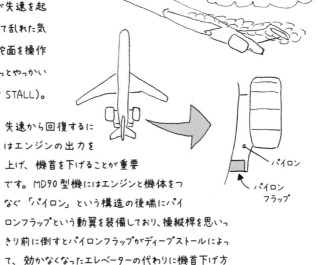

主翼から剥離した気流がエレベーター水平安定板に届くと機首下げができなくなる

パイロン

パイロンフラップ

失速から回復するにはエンジンの出力を上げ、機首を下げることが重要です。MD90型機にはエンジンと機体をつなぐ「パイロン」という構造の後端にパイロンフラップという動翼を装備しており、操縦桿を思いっきり前に倒すとパイロンフラップがディープストールによって、効かなくなったエレベーターの代わりに機首下げ方向に作動して失速から回復します。

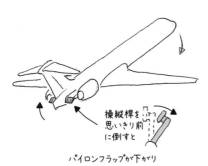

操縦桿を思いきり前に倒すと

パイロンフラップが下がり機首を下げます。

お客様を乗せた飛行中に失速を起こすことはまずありえないことですが…かつて飛行機は定期的に飛行性能の確認や普段使うことのない重要な非常装備品の機能を確認するためにテストフライトを実施していました。

失速からの回復機能もその1つで、ベテランパイロットが実際に飛行機を失速させるテストを行います。

1 リーディングエッジ スラット／フラップ／スポイラー

内側リーディングエッジ
クルーガー フラップ

ボーイング737-800

外側リーディングエッジ スラット

グランド スポイラー （2枚）

フライト スポイラー （4枚）
（グランド スポイラー兼用）

エンジン リバース
（逆噴射状態）

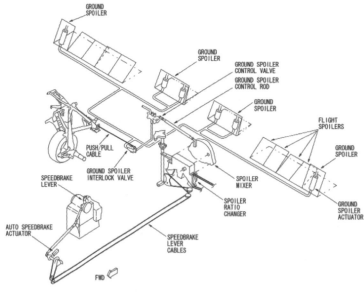

スピードブレーキ レバーからグランド スポイラーへの操縦系統の一例
（ボーイング737-800）

2 トレーリング エッジ フラップ

ボーイング777-300ER

ボーイング737-800

3　グランド スポイラー

エアバスA350-900の垂直尾翼カメラからの風景。
接地後、左右内側のグランド スポイラーを含めてすべてのスポイラーが全開しています。

エアバスA350-900の客室窓から見た、出発前の動翼の作動確認の様子です。

（第6章以上）

第**7**章

燃料系統

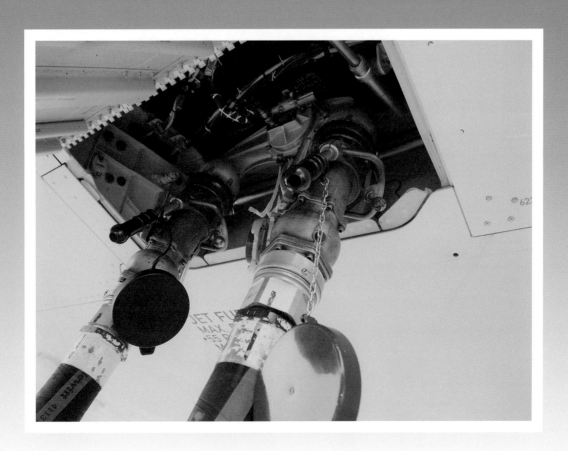

大型の旅客機の燃料タンクは主翼の内部や主翼とつながる胴体内にあり、その給油口は通常左の主翼の前縁部にあります。多くの機種には給油口が2つあり、2本のホースをつないで燃料を加圧して送ります。通常、給油口のそばに各タンクの容量メーターと操作スイッチなどがありますが、写真のエアバスA350のこれらの機器は胴体中央部の下面にあって、給油作業者だけでなく運航乗務員なども確認しやすくなっています。

第7章 燃料系統

この章は燃料系統についてのお話です。

みなさんの身近にある燃料にはいろいろな種類がありますが…

 はガソリン　 は軽油　 は重油

 はプロパンガス　 は灯油　 は…ほぼ灯油です（ちょっと高級）

ジェットエンジン（ガスタービンエンジン）で使用する燃料はいくつかの種類がありますが、民間ジェット旅客機ではほぼ灯油と同じ成分の燃料を使用しています。

燃料タンク**1**は主翼の中にあるので、高度1万メートルの上空を長時間飛行すると燃料の温度が-40℃以下になることもあります。

> 水分が含まれていると氷が配管やフィルターを詰まらせることもあるので、水分厳禁です

〈燃料タンクはなぜ主翼の中に？〉

この本で何度かふれていますが、飛行機は軽くなければいけません。

機体構造は必要な強度を保ち、かつ軽いことが重要で、必要以上の強度をもたせることは構造重量の増加により、飛行機の性能を低下させます。

なぜタンクが主翼の中にあるかイメージしやすいように模型を指で支えることを考えてみましょう（飛行機の重量は主翼に発生する揚力で支えていますが、ここでは揚力の代わりに指で主翼を持ち上げてみます。）。

胴体の中に主翼で支えられる限界までおもりを詰め込みます。

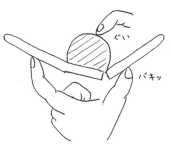

さらに上から荷重をかけると主翼がつけ根から折れます。

しかし同じ荷重がかかるおもりを主翼の中に入れると支えることができます。厳密には翼付根にかかる荷重の距離と重量の積（曲げモーメント）が重要ですが、説明では省略します。

このように燃料を主翼の中に入れることで主翼つけ根にかかる荷重を増やすことなく燃料を搭載することができます。
必要な構造の強度を保ち、かつ重量の増加を防ぐことができます。

> このような理由により、通常3つに分かれているタンクの燃料搭載／消費には順番が決められています。
> 搭載は、①外側タンク②中央タンク
> 消費は、①中央タンク②外側タンク
> の順番で行います

〈燃料タンクの通気〉

自動車の燃料タンクにも通気口がありますが、同様に飛行機の燃料タンクにも通気口 **2** があります。

普通はタンクの上部に通気口が1つあれば十分ですが、飛行機でややこしいのはタンクが平べったいことと姿勢が変化することです。

負圧になると流れない

空気が抜けないと入らない

OK

水平飛行中や機首下げ姿勢で飛行中は外側タンクは翼端がいちばん高くなります

上からみると ②

上昇中や機首上げ姿勢では主翼つけ根の前方側がいちばん高い位置になります

③

傾いた姿勢では一方は翼端、一方はつけ根がいちばん高い位置になります。

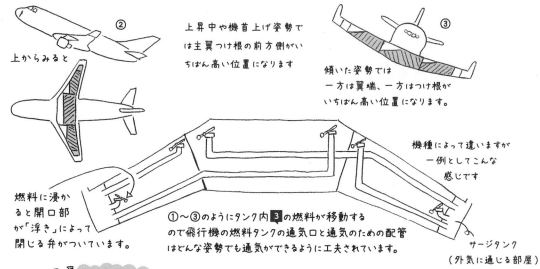

機種によって違いますが一例としてこんな感じです

燃料に浸かると開口部が「浮き」によって閉じる弁がついています。

①〜③のようにタンク内 **3** の燃料が移動するので飛行機の燃料タンクの通気口と通気のための配管はどんな姿勢でも通気ができるように工夫されています。

サージタンク（外気に通じる部屋）

〈燃料ポンプ〉

ポンプ

タンクの中

タンクの外

モーター

ポンプ&モーターの大きさはほぼ1.5ℓのペットボトルぐらいです。

各タンクには燃料をエンジンと補助エンジンに送り出すための燃料ポンプが2つずつ装備されています。

（3つのタンクで合計6つ、安全のための2重装備です）例えば737型機でエンジンが最大離陸推力を出すときに流れる燃料の量は2分間で家庭用のお風呂(200ℓ)が一杯になるぐらいです。

大きな出力が必要なポンプを回すための電気モーターは第4章電源編で紹介した3相モーターを使用しています

最悪の場合（…あくまで仮定です）

6つあるポンプが5つ故障して1つのポンプで両方のエンジンに燃料を供給する場合に備えて、ポンプの性能は1分間でお風呂一杯分の200ℓを送り出すことができます。

〈燃料油量計〉

操縦室に表示される燃料油量計（以下、燃料計）の値は体積（リットルやガロン）ではなく重量（キログラムやポンド）で表示されます。なぜかというと…

エンジンが推力を発生させたり、ギアボックスについている補機類を駆動するエネルギーは燃料を燃やすことによって発生する熱量から得られます。

（1ガロン＝約3.785リットル〈米国表示〉）
（1ポンド＝約0.4536キログラム）

熱をくれ〜

（補機類）
発電機
油圧ポンプ
エンジンオイルポンプ
などなど

燃料が生み出す熱量は燃料の分子の数によって決まります。

温度によって見かけの量が増減しても、その燃料から得られる熱量には変化がありません。

温 冷

液体は温度によって体積が変わる

したがって、燃料（が持っているエネルギー）の量を正確に表す方法として重量表示をしています。

では、どのように重量をはかっているかというと…

燃料計のしくみにはいくつかの種類がありますが、ここでは最も一般的な静電容量型（キャパシタンスタイプ）について解説します。

はいよ

豚コマ
200g
ちょーだい

なかなか主翼内の
燃料重量を直接はかる
ことはむずかしい…

中学校の理科（高校の物理？）でコンデンサーについて勉強した記憶はありますか？

離れて向かい合った導体（電気を通すもの）に電圧をかけると、電荷がたまります。

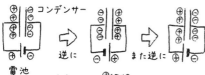
コンデンサー

逆に　また逆に

電池

コンデンサーを交流電源につなぐと見かけ上電流が流れたようになります。

電荷がたまる量が多いと見かけ上流れる電流も多くなります。
電荷がたまる量を静電容量といいます

コンデンサーの間にものをはさむと静電容量が変わります。どのくらい変化させるかという割合を誘電率といいます。

このような原理を応用して
燃料の重量を測定します。

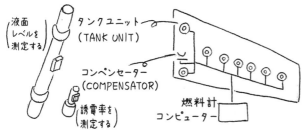
液面レベルを測定する
タンクユニット（TANK UNIT）
コンペンセーター（COMPENSATOR）
誘電率を測定する
燃料計コンピューター

実際のタンク内にある燃料計のセンサーはタンクユニットとコンペンセーターという機器です。両方とも大きなコンデンサーです。
タンクユニット 4 はタンク内部に平均的に分散して取りつけられています。
コンペンセーターは各タンクに1コずついちばん低いところに取りつけられています。

タンクユニットが燃料に漬かると、タンクユニットが持つ静電容量が変化します。
タンクユニットの静電容量は燃料の液面レベルと燃料がもっている誘電率によって変わります。2つの変動要素があるので、これだけでは燃料の液面レベルや重量を正確に測定することができません。
コンペンセーターは全体が燃料に浸ります。コンペンセーターの静電容量は燃料がもっている誘電率のみによって変化します。
そして、燃料の誘電率は燃料の密度によって変化します。

☆コンペンセーターの静電容量から燃料の誘電率（＝密度）がわかります。
☆燃料の誘電率がわかれば、タンクユニットの静電容量から正確な液面レベルがわかります。つまり燃料の体積がわかります。
　重量＝体積×密度…ということで燃料の重量がわかります。

1 航空機の燃料タンク

ボーイング777-200ER（上、下）

ボーイング787-8

燃料タンクは主翼と胴体にあり、通常は左翼の燃料給油口から搭載します。大きな空港では地下にある給油施設からポンプ車で、小さな空港や離れたスポットではタンク車を使用します。

2 燃料タンクの通気口

ボーイング767-300

ボーイング737-800

3 燃料タンクの内部

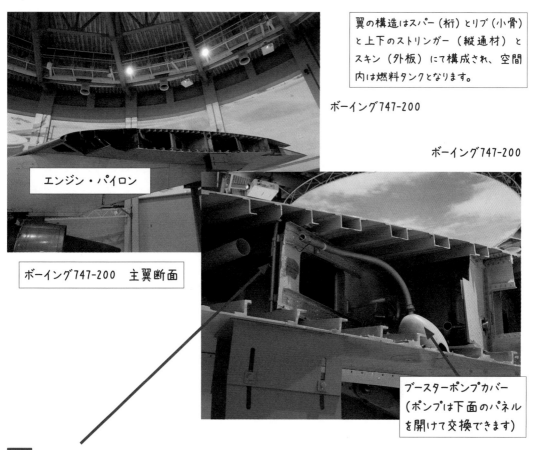

翼の構造はスパー（桁）とリブ（小骨）と上下のストリンガー（縦通材）とスキン（外板）にて構成され、空間内は燃料タンクとなります。

ボーイング747-200

ボーイング747-200

エンジン・パイロン

ボーイング747-200　主翼断面

ブースターポンプカバー
（ポンプは下面のパネルを開けて交換できます）

4 タンクユニット

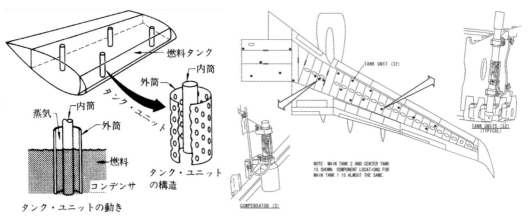

燃料タンク
内筒
外筒
タンク・ユニット

蒸気
内筒
外筒
燃料
コンデンサ

タンク・ユニットの動き

タンク・ユニットの構造

TANK UNIT (32)

TANK UNITS (32)
(TYPICAL)

NOTE: MAIN TANK 2 AND CENTER TANK IS SHOWN. COMPONENT LOCATIONS FOR MAIN TANK 1 IS ALMOST THE SAME.

COMPENSATOR (3)

タンクユニットと配置場所の一例

静電容量型タンクユニット
航空工学講座第3巻
航空機システム
（日本航空技術協会）より作成

番外1　航空分野におけるCO_2削減努力について　　　＜2021年7月＞

　日本は、地球温暖化対策として温室効果ガスの排出を全体としてゼロにする「2050年カーボンニュートラル、脱炭素社会の実現」を目指しています。

　日本の家庭・産業・業務その他によるCO_2総排出量は約11億3,800万トンに及び、運輸部門は約2億1,000万トン（18.5%）を占めます。そのうち国内航空は約1,000万トン（5%）となりますが、これ以外に国際航空では約1,500万トンのCO_2を排出しています。

　「2050年カーボンニュートラル、脱炭素社会の実現」に向け、航空分野におけるCO_2排出削減のアプローチのうち、特に運航に関わる以下の分野について具体策の検討が進められています。
　①燃費向上に役立つ機材・装備品等への新技術の開発や導入
　②消費燃料削減に役立つ新技術や新方式の導入等、高度な管制による運航方式の改善
　③持続可能な航空燃料（SAF：Sustainable Aviation Fuel）の導入促進

　この航空燃料（SAF）の主な原料には以下のようなものがあります。
・廃食油、廃獣脂等：
　　米国、フィンランドで商用プラントを運転中。商用としてSAFを供給した実績あり
・都市ごみ・廃棄物等：
　　米国で都市ごみ由来SAF製造プラントを建設中。我が国でも事業化の検証を実施中
・木質バイオマス等：
　　米国にて商用化予定。我が国でも技術開発・大規模化に向けた検証を実施中
・藻類等：
　　我が国において2030年頃の商用化に向けて技術開発・大規模化に向けた検証を実施中

国土交通省：第1回航空機運航分野におけるCO_2削減に関する検討会資料
（https://www.mlit.go.jp/common/001395880.pdf）を加工して作成

　2021年6月17日、国産バイオジェット燃料を搭載したフライトが実現しました。

番外2 日本初！古着からの国産バイオ燃料でボーイング787がフライト

日本初、衣料品の綿から製造した国産バイオジェット燃料を搭載したフライトが実現。

日本航空株式会社は、2021年2月4日、衣料品の綿から国内の技術のみで日本初の国産バイオジェット燃料を製造し、国内線定期便に初めて搭載しました。

搭載された燃料は2018年10月から2019年1月の間に、全国から不要になった約25万着の衣料品を回収して、複数の国内企業の協力のもとで製造されました。

2020年3月下旬、国内では初めて、バイオジェットの国際規格であるASTM D7566 Annex 5の適合検査に合格しました。

2020年6月中旬、既存のジェット燃料との混合が完了し、一般のジェット燃料として、商用フライトへの搭載が可能になりました。

（日本航空株式会社2021年2月5日付けプレスリリースから作成）

おまけ

旅客機が使う航空用ジェット燃料

航空用燃料は、ピストンエンジン用の航空用ガソリンとジェットエンジン用のジェット燃料があります。

ジェット燃料には専ら民間用で灯油留分に近いケロシン系と専ら軍用機用で灯油留分にナフサを含んだワイドカット系があります。

ケロシン系の燃料で一般的なものはJET A-1、ワイドカット系で一般的なものはJET B（軍用規格JP-4）があげられます。

ジェット燃料にはその性能や性質を向上するため、酸化防止剤・帯電防止剤・腐食抑制剤・氷結防止剤などが添加されています。

種類	記号	タイプ	性質（特徴）
1号	Jet A-1	灯油形（低析出点）	ケロシン系燃料　比重：0.7753〜0.8398 揮発性が低く引火点の高い燃料である。
2号	Jet A	灯油形	Jet A-1とJet Aは析出点（氷点）のみが異なり、Jet A-1は長距離高亜音速航空機用に開発されたJet Aより析出点が低い燃料である。
3号	Jet B	広範囲沸点形	ワイド・カット系燃料　比重：0.7507〜0.8017 低温および高空におけ着火性に優れた燃料である。ケロシン留分と軽質および重質ナフサ（ガソリン）留分が混合された低蒸気圧ガソリン系燃料である。

ジェット燃料の規格（JIS K2209-1991）
航空工学講座　第7巻タービン・エンジン
（日本航空技術協会）より作成

（第7章以上）

第 **8** 章

防氷系統

トリビア

旅客機は、翼・エンジン空気入口部・各種センサーにヒーターなどを装備し、雪や氷がつかないようにしています（防氷）。出発前や駐機中に、機体全体に積もった雪や着氷は、クレーンの先に操縦席のついた特殊車両等を使って、水や温水で希釈したグリコールなどを噴霧して融かします（除雪氷）。降雪が続く場合、出発時間の遅延にあわせて何度も作業を行う場合もあります。

第8章 防氷系統

『雨ニモマケズ風ニモマケズ低温ニモ着氷ニモマケナイ優レタ装備ヲ持チ…』

（…宮沢賢治さん、モジッてごめんなさい…）

飛行機は他の乗りものに比べて非常に厳しい環境にさらされます。氷点下の雲の中やマイナス80℃にもなる1万メートル以上の高度を飛ぶと、機体の各部に着氷が発生し、安全な飛行の妨げとなる現象が発生します。

そこで、着氷が起こりやすいところには防氷装置が装備されています。（右図の①〜⑤）

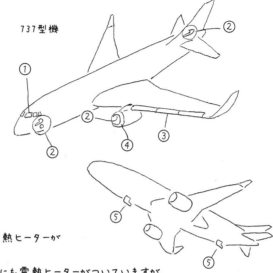

737型機

①ウィンドウヒート（WINDOW HEAT）

操縦室の窓には電熱ヒーターが装備されています。

車の後部窓ガラスにも電熱ヒーターがついていますが、車と飛行機では構造も目的も大きく異なります。

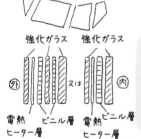

強化ガラス　強化ガラス

（外）　又は　（内）

電熱ヒーター層　ビニル層　電熱ヒーター層　ビニル層

窓はガラスが3層（又は機種によっては2層）で間にビニル層をはさみ込んだ5層構造（又は3層構造）になっています。

電熱層は外側のガラス層のすぐ内側にあります。

車のリアウィンドウは電熱線が内側に貼ってあります

車の窓の電熱ヒーターが電熱線で内側のくもり止めを行うのに対して、飛行機では窓の全面をほぼ透明な電熱ヒーター層で覆い、主に外側のガラスをあたためています。

目的は2つあります。

1 着氷を防ぎ視界を確保する

2 ガラスの耐衝撃性を保つ

ガラスは低温になると、もろく割れやすくなります。飛行機はマイナス数10℃もの低温に長時間さらされるので、このガラスの性質はちょっと困ります。

時速300km/h以上で鳥やその他の異物と衝突したときでも、ガラスが割れないようにするため、着氷が起こらない気象条件においても、飛行中は常に窓のヒーターを作動させています。

②プローブヒート（PROBE HEAT）

飛行機には気温、気流の速度に応じた圧力、主翼の迎え角などを計測するためのセンサー（SENSOR=PROBE）**1** が機体とエンジン入口から突き出した形で装備されています。

水分を多く含む冷えた空気がこれらのセンサーにぶつかると着氷が発生し、正確なデータの計測ができなくなるため、電熱ヒーターが内蔵されています。

「温度を計測するセンサーをあたためて大丈夫？」と思われるかも知れませんが、気流を受ける温度受感部に影響を与えず周囲をあたためるように工夫されています。

過去にはこのピトーヒーターが原因の映画も…

エンジン入口
圧力温度センサー **2**
（P2T2PROBE）

ピトー管
（PITOT TUBE）

気流の速度に応じた圧力の計測に使用します

AOAセンサー
（ANGLE OF ATTACK）
迎え角を測ります

TAT PROBE
（TOTAL AIR TEMPERATURE）
気流の温度を測ります

③ ウイングアンチアイス(WING ANTI-ICE or AIRFOIL ANTI-ICE)

主翼の前縁(LEADING EDGE)も着氷が起こりやすい場所です。

気温が低い状態での降雨、降雪時や氷点下の雲の中での飛行では主翼の前縁に少しずつ氷の層が形成されていき、主翼の断面形状が変わってしまいます。

第6章操縦系統(後編)で紹介したように主翼の断面形状は揚力と抗力に大きく影響し、前縁への着氷は空気の流れを乱して揚力の低下、抗力の増加、失速速度の増加と飛行機にとっては悪いことばかり起こります。

そこで、エンジンからの高温高圧の圧縮空気を内側から吹きつけて、主翼前縁への着氷を防止しています。

正常な空気の流れ　　着氷時の空気の流れ

主翼の断面

着氷が起こると気流が乱れ揚力(飛行機をもち上げる力)が低下し抗力(空気抵抗)が増加します。

速度を下げ迎え角を増やして揚力を維持しようとすると通常なら安定して飛行できる速度でも失速が発生します。

エンジンからの圧縮空気

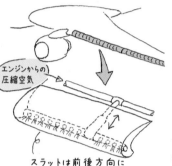

スラットは前後方向に展開/格納します

主翼前縁には第6章で紹介したようにスラットが装備されているので高温高圧の圧縮空気はテレスコーピングダクト(TELESCOPING DUCT:伸縮式の望遠鏡のように伸び縮みするダクト)を経由してスラットの内部へ導かれています。

④ エンジンアンチアイス(ENGINE ANTI-ICE)

エンジンの空気取り入れ口にも冷たく湿った空気がぶつかると着氷が起こります。

正面から　　横から

エンジンからの高温高圧の圧縮空気

エンジンの空気取り入れ口に着氷が起こると、エンジンに流入する空気の流れが乱れてファンブレード(FAN BLADE:推力を生む扇風機の羽根状の回転翼)や内部の空気圧縮部が失速を起こし、推力が失われたり不安定な運転状態になったりします。

また、氷塊を吸い込むとエンジンにダメージが生じることもあります。着氷を防止するため主翼と同じようにエンジンからの高温高圧の圧縮空気を内部に通しています。

『失速』や『スラット』については第6章で解説しています。

主翼の前縁の着氷が飛行中だけに発生するのに対して、エンジンは地上でも大量に空気が流入するので、機体が停止していても運転中は着氷が発生することがあります。私達整備士がエンジンの試運転を行うときも気象条件によっては、このシステムを作動させることがあります。

⑤ ドレインマストヒーター(DRAIN MAST HEATER)

機内の調理台(ギャレー)やトイレの洗面台からの排水は配管を通って機外へ排出されます。排水のために機外に飛び出している部分をドレインマスト(DRAIN MAST)といいます。飛行中はマイナス数10℃の外気温ですから、水をチョロチョロ流すと凍りついて配管が詰まったり氷塊ができて落下物となる危険があります。そこでこの部分も凍らないようにあたためる必要があります。ここは電熱ヒーターを使用しています。

客室
貨物室
DRAIN MAST

排水は駐機中を除き高度1万フィート(3,300m)以下では行われません。地上に届く前にすべて蒸発するのでご安心を

《新入社員の頃、このヒーターの作動試験をはじめてやったとき、どのくらい熱くなるのか知らずに素手で温度を確かめていたら、アッという間に手のひらが水ぶくれになりました…》

番外編　FUEL RETURN TO TANK SYSTEM

この「豆知識」シリーズでMD90型機のちょっと他機
種とは違う特徴をいろいろ書いていますが、ここで
もひとつ変わったシステムを紹介します。

第7章で解説したとおり、燃料タンクは主翼内に
ありますが、上空でキンキンに冷やされた燃料は着
陸後も氷点下のままとなることがめずらしくありま
せん。

着陸後の燃料残量が多めにあると、主翼内側上
面と燃料が接触した状態となりますが、ここに弱
い雨などが降ると透明で厚い氷が形成されること
があります。MD90型機のひと世代前のMD80シリーズ
で離陸時の主翼のたわみによってこの氷がはがれ、
エンジンに吸い込んでエンジンにダメージを与えると
いう事象が世界各地でたびたび起こりました。

そこで、MD90型機ではエンジンで暖められた燃料の
うち、エンジンの運転に使われずに余った分を主翼
内燃料タンクへ戻し、タンク内の燃料が氷点下に
ならないようにしています。

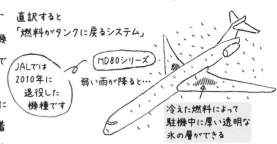

直訳すると
「燃料がタンクに戻るシステム」

JALでは
2010年に
退役した
機種です

MD80シリーズ
弱い雨が降ると…

冷えた燃料によって
駐機中に厚い透明な
氷の層ができる

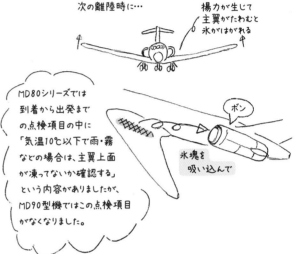

次の離陸時に…

揚力が生じて
主翼がたわむと
氷がはがれる

MD80シリーズでは
到着から出発まで
の点検項目の中に
「気温10℃以下で雨・霧
などの場合は、主翼上面
が凍ってないか確認する」
という内容がありましたが、
MD90型機ではこの点検項目
がなくなりました。

ボン

氷塊を
吸い込んで

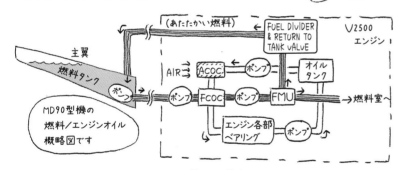

（あたたかい燃料）

FUEL DIVIDER
& RETURN TO
TANK VALVE

V2500
エンジン

主翼

燃料タンク

AIR→ ［ACOC］ ←ポンプ

オイル
タンク

ポンプ

FCOC ポンプ FMU

→燃料室へ

エンジン各部
ベアリング

ポンプ

MD90型機の
燃料／エンジンオイル
概略図です

ACOC: AIR COOLED OIL COOLER
　空気で冷やすエンジンオイルクーラー

FCOC: FUEL COOLED OIL COOLER
　燃料で冷やすエンジンオイルクーラー
　（燃料は安定した調整をするため
　にエンジンオイルで暖められます）

FMU: FUEL METERING UNIT
　燃料流量を調節して
　エンジン出力をコントロールします

また、MD90型機の主翼上面には着氷を感知するセンサー
が装備されており、着氷が起こると
操縦室に　ICE FOD ALERT　という警告メッセージ
が表示されるようになっています。

翼上面の客室窓から
見ると、このあたりに
丸い銀色のセンサー
が見えます。
超音波式の着氷センサー
です

FOD: FOREIGN OBJECT DAMAGE
（外部飛来物による損傷）

1 センサー (Sensor、Probe)

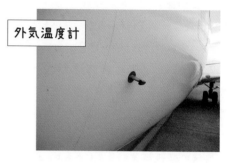

外気温度計

ボーイング737-800

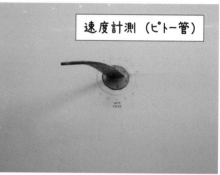

速度計測（ピトー管）

ボーイング737-800

2 エンジン入口圧力温度センサー

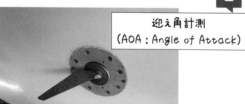

迎え角計測
(AOA：Angle of Attack)

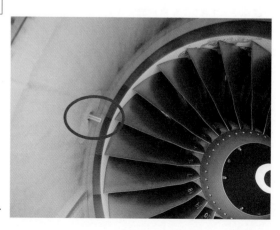

エンジン入口
圧力温度センサー

3 ウイングアンチアイス（低速機の場合）

ATR72
主翼前縁と水平尾翼前縁
アンチアイス装置（黒い部分）

4 ドレインマスト

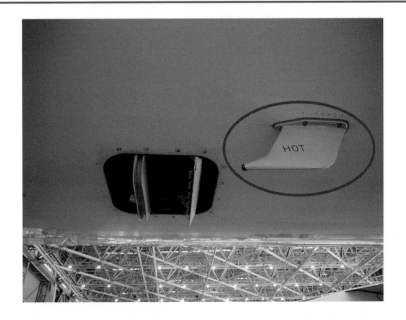

番外　機体の防除雪氷

飛行機は、翼に氷や雪が付着している状態では十分に揚力を得られず離陸することができません。

そのため、離陸前に氷や雪を機体から取り除く作業が必要になります。

過去には十分な除雪が行われなかったために、航空機事故が発生することもありました。

近年になり航空機の離陸前防除雪氷作業の重要性が改めて認識され、航空機用防除雪氷液の需要はさらに高まっています。

特に日本は雪の多い国です。

防除雪氷液なくしては冬季の航空機運航はできません。

航空機の機体表面には何も付着してはいけないという「クリーンエアクラフトコンセプト」という国際的な決まりにより、飛行の際には、雪や氷を取り除く必要があります。

航空機用防除雪氷液には、厳格な国際基準があり、2つの目的に使われます。

機体に積もった雪を除く（De-icing）
冬季、航空機は、地域によりますが降雪という過酷な状況下にさらされます。

その為、機体には雪や氷・霜などが付着してしまいます。

雪質等にもよりますが、気温が低い場合にはディアイシングブロー（圧縮空気）により飛ばしてしまうことが出来ます。

しかし、湿った雪や氷などはブローだけでは除去出来ません。

そこで防除雪氷液 TYPE I などを散布し雪や氷を除去、機体をクリーンな状態に戻します。

新たな着氷を防ぐ（Anti-icing）
TYPE I 散布後、再度機体に雪が積もったり氷にならないよう防がなくてはなりません。

そこで防氷効果の高い防除雪氷液 TYPE IV などを散布します。

散布後、機体表面には防氷液の層ができ、新たに積もる雪を溶かし込んでいきます。

これは離陸時の滑走により、機体から流れ落ちる特性を持っている液体です。

TYPE IV は散布開始直後よりホールドオーバータイム（効果が持続する時間）が定められています。ホールドオーバータイムが長い高性能な製品が、海外を含め多くのエアラインで使用されています。

（記事および写真提供：関東化学工業株式会社）

（第8章以上）

第 9 章

降着装置

多くの旅客機には前脚（ノーズギア）1本、主脚（メインギア）2本（エアバスA380は4本）の"足"があり、離陸すると機体やエンジンポッド（多くのプロペラ機の場合）に格納されます。"足"には6本（ボーイング737など）から22本（エアバスA380）のタイヤがつき写真のボーイング777には主脚の片側に6本ずつ、前脚2本とあわせ14本のタイヤがついています。大きく重い機体は、分散させて機体重量を支えます。

第9章 降着装置

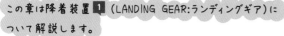

この章は降着装置 **1**（LANDING GEAR:ランディングギア）について解説します。

飛行機を地上で支えている脚のことを英語ではGEAR（ギア:直訳すると"装置"）といいます。前脚をNOSE GEAR（ノーズギア）またはNLG、主脚をMAIN GEAR（メインギア）またはMLGと呼ぶことが一般的です。

前脚
(NOSE GEAR)

主脚
(MAIN GEAR)

ショックストラット（SHOCK STRUT:緩衝装置）

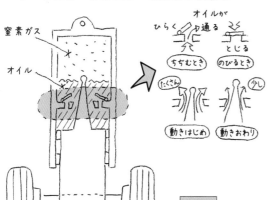

窒素ガス

オイル

オイルが通る

ひらく（ちぢむとき）

とじる（のびるとき）

たくさん（動きはじめ）

少し（動きおわり）

着陸時の衝撃を3本の脚で効果的に吸収するために飛行機ではオレオ式緩衝装置（OLEO SHOCK STRUT）が使われています。

クッキーではありません

内部には窒素ガスとオイルが入っており、左図のような仕組みになっています。

（実際はもう少し複雑ですが、原理はこんな感じ）

『縮みやすく伸びにくい』

『最初は大きく、最後は小さく』

なんとなく高いところから飛びおりたときのヒザのイメージで衝撃をやわらげてくれます。

自動車と同じくチューブレスタイヤを使っています。
空気圧（窒素ガス）は約180〜200psi（12〜14kg/cm²）です。
自動車用タイヤの6〜7倍の圧力です。

タイヤ

飛行機の車輪は前進／後退の駆動力を伝える必要がありません。そのため、タイヤには横方向の溝がありません。直進安定性と水はけのために縦方向にのみまっすぐな溝があります。

国内線を飛ぶ機体はだいたい1日に6〜7回着陸をしていますが、主脚のタイヤはおおむね1ケ月〜1ケ月半で摩耗により交換をしています。

操向装置（ステアリング）

第6章で少し触れましたが、パイロットの目の前にある操縦輪（コントロールホイール）は補助翼（エルロン）を操作するためのもので、地上走行時に前輪の向きを変えて進行方向を制御する操向ハンドル **2** は別のところにあります。

テイクオフ

さぬき

ローテート

ギアアップ

②

③

ポジティブ

TAKAMATSU

①

行ってきます

③方向舵ペダルと前輪の向きの連動は機体が離陸すると切り離され、前輪の向きは前脚を格納するためにまっすぐの位置に固定されます。

前輪が左右70〜80°ぐらい動きます

これ

①駐機場から滑走路まで走行するときは、パイロットは片手を操向ハンドル、もう一方の手をエンジン出力レバーにかけてゆっくりと進んでいきます。

②滑走路を高速滑走するとき、パイロットの手は操縦桿、操縦輪を操作するために操向ハンドルから離れます。

そこで前輪の操向装置は方向舵ペダルと連動し足の操作によって進行方向をコントロールできるようになっています。

方向舵と前輪の向きが連動して進行方向のコントロールが容易になります。

左右7°ぐらい動きます

右のペダルを踏み込むと

機首は右へ

展開／格納と表示 3

ギアは地上では必要ですが、飛行中は大きな空気抵抗を生じるため格納します。重いギアを上げ下げするために油圧の力を使っています。

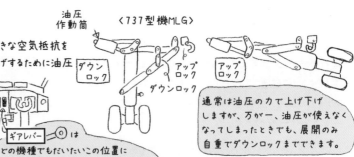

油圧作動筒

〈737型機MLG〉

ダウンロック
アップロック
ダウンロック

アップロック

通常は油圧の力で上げ下げしますが、万が一、油圧が使えなくなってしまったときでも、展開のみ自重でダウンロックまでできます。

ギアが展開（ギアダウン）格納（ギアアップ）の位置できちんと固定されていないと飛行の安全に関わるので、操縦室ではギアの状態をランプでわかりやすく色分けして表示しています。

ギアレバー は どの機種でもだいたいこの位置にあります。先端は車輪の形をしています。

《ダウンロック》《アンロック》《アップロック》

G G
G G
緑色の点灯

R R
R R
赤色の点灯

消灯

内部にコイル
プロキシミティスイッチ
ターゲット（磁性体）

ターゲットが近づくとコイル周囲の磁束密度が変化して位置を検知することができます。

《ロック》《アンロック》

ギアの表示はダウンロックリンクとアップロックフックに取りつけられているスイッチによって電気回路を切換えてコントロールしていますが・・・
ギア周囲は飛行中や滑走中に激しい気流や水しぶきを受けるため、カチッ 機械的なスイッチを使うと水分や油分、ゴミの侵入によってすぐにこわれてしまいます。そこで、機械的な接点を切換えることなく位置関係の状態を検知するプロキシミティスイッチ（PROXIMITY SWITCH）が使われています。
このスイッチはもともとギアポジションの表示で使われはじめたものですが、こわれにくいことからドアの開／閉、スラットやスポイラーの展開／格納、エンジン逆推力装置の展開／格納など、多くのシステムで表示や制御に利用されています。

ブレーキ 4

旅客機で使われているブレーキは自動車やバイクと同じディスクブレーキですが、自動車やバイクのブレーキディスクが1枚なのに対して、旅客機では多板式ディスクブレーキが使われています。

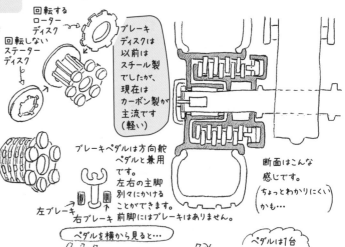

回転するローターディスク
回転しないステーターディスク

ブレーキディスクは以前はスチール製でしたが、現在はカーボン製が主流です（軽い）

自動車用のブレーキは1枚のディスクをブレーキパッドではさみ込みます

ブレーキペダルは方向舵ペダルと兼用です。
左右の主脚別々にかけることができます。
前脚にはブレーキはありません。

左ブレーキ
右ブレーキ

断面はこんな感じです。
（ちょっとわかりにくいかも・・・）

ペダルを横から見ると・・・
方向舵＋前輪操向
ブレーキ

ペダルは1台3役をこなします

アンチスキッドシステム(ANTI-SKID SYSTEM)

このシステムは自動車に装備されているアンチロックブレーキシステムと同じようなブレーキの効きすぎを防ぐものですが、ちょっと多機能です。

①スキッドコントロール
ブレーキの効果が最大となるように車輪の回転速度の減速率をコントロールします。ペダルを踏みすぎても、最短距離で停止できるように効き具合を調整してくれます。

②タッチダウンプロテクション
着陸前にはブレーキペダルを踏んでもブレーキがかからないようにします。

キュキュ
接地で車輪が回転しないとキケン

③ハイドロプレーンプロテクション

スーッ
機体の加速度から算出した対地速度と車輪の回転速度を比較して車輪がすべっているときにブレーキを弱めます。

水たまりの上をスーッとすべってしまったときに有効

④ロックドホイールプロテクション
他の車輪と比較して回転数が極端に少ないときブレーキを弱めて車輪のロックを防止します。
（いわゆるアンチロック機能です）

オートマティックブレーキシステム（ABS）

自動車のABS（アンチロックブレーキシステム）とは違い、文字通りに自動的にブレーキをかけるシステムです。着陸時や離陸中断時にパイロットによるブレーキペダル操作を必要とせず、**あらかじめ選択した減速率で自動的にブレーキが**かかります。

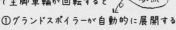

着陸モードで4段階ぐらい選べます

グランドスポイラーと車輪ブレーキが自動で作動してくれるので、パイロットはエンジン逆推力の出力コントロールと進行方向の維持に専念することができます。

自動車にも衝突防止の自動ブレーキシステムがあります

エンジンの逆推力装置は燃料を消費し大きな騒音を発生するため、着陸時の条件によってパイロットは逆推力の出力を加減します（エコと燃費に配慮します）。

逆推力が小さければABSはより強くブレーキをかけ、逆推力が大きければABSはブレーキを弱めます。結果的にはどちらでも機体の減速率は同じになり、必要な制動距離は一定となります。

乗りごこちの良さにもつながります。

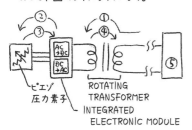

着陸 接地して主脚車輪が回転すると

第6章参照

①グランドスポイラーが自動的に展開する
②ABSにより自動的にブレーキがかかる
③パイロットは手動でエンジン逆推力をかける

選択した一定の減速率で減速します

離陸中断 離陸中にエンジン出力レバーを下げて逆推力をかけると

①グランドスポイラーが自動的に展開する
②ABSにより最大の減速率で自動的にブレーキがかかる

着陸時よりも短い距離で止まる必要があります。

タイヤ圧力表示（TPIS: TIRE PRESSURE INDICATION SYSTEM）

747-400型機、777型機、A300型機などいくつかの機種では操縦室でタイヤの空気圧を表示するシステムが装備されています。（747-400型機、A300型機は引退しちゃいました…）

空気圧センサーは車輪に取りつけられているので直接電線をつないで空気圧の情報を得ることができません。そこでちょっとした工夫がされています。ここではA300型機のTPISについて解説します。

右図のトランスミッションユニットとセンサーをもう少し詳しくみると下図のようになっています。

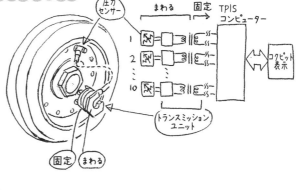

①コンピューターから固定側コイルへ3,200Hzの交流電圧が供給されると回転側コイルにも3,200Hzの交流電圧が励起されます。

②交流電圧はELECTRONIC MODULEで直流電圧に変換され、ピエゾ圧力素子に10.5Vの直流電圧が供給されます。

③ピエゾ圧力素子はタイヤの空気圧に応じて0～100mvの電圧をELECTRONIC MODULEへ返します。

④ELECTRONIC MODULEは0～100mvの電圧を50～100kHzの交流信号に変換し、3,200Hzの波にのせて回転側コイルから固定側コイルへ伝えます。

⑤コンピューターは50～100kHzの信号を検出し、0～300psiの圧力表示信号に変換して操縦室の表示装置に伝えます。

1 降着装置（ランディング ギア）

エアバスA350-900

ボーイング737-800　主脚

エアバスA350-900　格納検査の状況

ステアリング　ホイール

操縦室の地上走行ハンドル
ボーイング737-800

ボーイング787はケーブル機構がなく電気
シグナルで油圧のアクチュエーターを動か
すため他機と比べてハンドルが小さい。

前脚の向きを変える
ステアリング　アクチュエーター
ボーイング787-8

前脚の向きを変えた
エアバスA350-900

ボーイング777には主脚の最後輪の向きを変える
ステアリング　アクチュエーター
もあります

ボーイング777-300ER

3 脚の格納

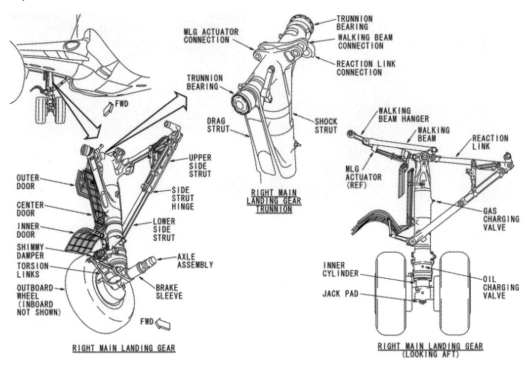

主車輪（メインギア）と車輪（ギア）ドアの一例

ボーイング737-800

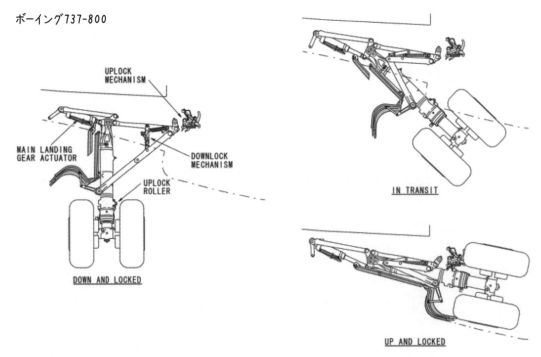

主車輪（メインギア）格納の一例

4 ブレーキ

エアバス A350-900

ブレーキはタイヤとホイールを外して交換します。
ホイールの脱着のためジャッキアップします。

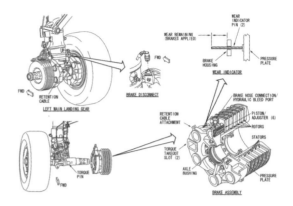

ボーイング737-800のブレーキ

ボーイング787-8

おまけ

タイヤの摩耗を予測せよ

航空機用タイヤは、機体の速度と重量を支えながら離着陸を繰り返すという過酷な条件下で使用され、通常、航空機が数百回離着陸する毎に新しいタイヤに交換する必要があります。さらに使用環境によってタイヤの摩耗進展速度が異なるため、これまで、突発的なタイヤ交換や、交換時期の集中が発生していました。そこで、JAL/J-AIRの両社は航空機に関する知見・フライトデータとタイヤメーカーの持つタイヤに関する知見・デジタルを活用した摩耗予測技術をかけ合わせることで、タイヤの交換時期を予測することが出来るようになり、精度の高い計画的なタイヤ交換が可能となりました。

その結果、ホイール・タイヤ在庫の削減および航空機整備作業の効率化などが期待されます。また、生産・使用過程でのCO_2排出量を削減することで「地球との共生」へと繋がります。

（日本航空株式会社プレスリリース
2020年6月16日より）

（第9章以上）

第 **10** 章

慣性基準装置

トリビア

アナログからデジタルへ。コンピューター制御の導入により、コックピットも電子化、集約化された情報をディスプレイに表示するようになりました。これによりパイロットの負担は大幅に軽減されました。このボーイング737-800も1967年の原型から改良を重ね、最新の737MAXへとつながっていきます。

慣性基準装置(Inertial Reference Unit：IRU)

航空機と陸上の乗りものとの大きく違うところは、空中を移動するか地上を移動するかという点にあります。

地上を移動する場合、視覚によって自分が「どこ」を「どんな姿勢」で「どの向き」に「どのくらいの速度」で進んでいるかを把握することができます(正確には速度計などが必要ですが)。

しかし、空中では雲の中や海上、夜間、高々度など、自分と比較する対象が視覚によって得られないことが多いため、計器によって自機の位置、姿勢、方位、進行方向、速度などを知る必要があります。

慣性基準装置(IRU:INERTIAL REFERENCE UNIT)はこれらの情報を地上や人工衛星からの電波などに頼ることなく、自分で計算してくれる、とても賢い装置です。

外はなーんちゃ見えよらん

計器があればだいじょうぶ

DG(DIRECTIONAL GYRO)＆VG(VERTICAL GYRO)

本題に入る前に、初期のジェット旅客機まで(DC8、DC9、727など)の装備から紹介します。この頃の機体では方位と姿勢を知るためにジャイロ(GYRO)を利用したDGとVGが使われていました。

VG

DG

40代後半の人なら知っている「地球ゴマ」(?)と同じしくみです高速回転するコマは空間に対して一定の姿勢を保つ性質があります

この頃の装備では自機の位置や対地速度、進行方向などは、地上の無線電波標識(電波の灯台のようなもの)が無いとわかりませんでした。

姿勢の検出 1

水平を保つジャイロに対して姿勢が変わると自機の傾きがわかります

計器はこんな感じでした

機首方位の検出 1

フラックスバルブ

一定の向きを維持するDGに対して機軸の向きが変わると自分がどっちを向いているかがわかります

機首方位の表示の基準は翼端にある「フラックスバルブ」で検出したDG磁気を基準としています。(いわゆる磁方位です)

INU(INERTIAL NAVIGATION UNIT)慣性航法装置

INUは太平洋横断などの洋上飛行のために、地上からの電波に頼ることなく任意の緯度・経度で指定したコースを飛ぶために開発された装置です(初期の747ジャンボやDC10など)。

INUは移動方向と速度・距離を計算するために加速度計を使用します。
加速度計は振り子のようなものなので、常に水平面に置く必要があります。また、地球に対して加速度計の向きが変わってしまうと自分の位置が計算できなくなります。
そこで、先に紹介したDGとVGを組み合わせた「プラットホーム」の上に2つの加速度計を置く構造になっています。

傾いていると

静止　加速　ニセ信号

加速度計

加速度を時間で積分すると速度、もう一度積分すると距離が算出できます
静止状態から加速度aでt秒間加速するとt秒後の速度V=at
移動距離$D=\frac{1}{2}at^2$

プラットホーム

水平で一定の向きを維持します

プラットホームは地球に対して一定の方向を維持します。

加速度計は2つを90°ずらして取りつけてあり、南北方向の加速度と東西方向の加速度のベクトルを合成して自機がどっち向きに進んでいるかを計算します。

強い横風を受けていると機首方位と進行方向がズレてしまいますが、INUは加速度計の出力から進行方向を計算してくれます。

このようにINUによって機首方位（磁方位）姿勢、進行方向、位置、対地速度、風向、風速が機上の装備だけでわかるようになりました。

風向&風速
進行方向　機首方位
対地速度　対気速度

気流を計測して得られる対流速度とINUが計算する対地速度から飛行中に受ける風の向きと強さがわかります。

INUは高機能で便利な装置でしたが、ジャイロとプラットホームは非常に精密に作られていたため、一定の割合で故障が発生していました。

連続的に進行方向と移動距離を計算していて、現在位置を緯度・経度で常にアップデートしています。

最初に出発地点の緯度、経度を入力する必要があります

IRU（INERTIAL REFERENCE UNIT）慣性基準装置

さて、やっと本編です

IRUはINUの弱点だった精密機械部分を「リングレーザージャイロ」に置きかえた非常に信頼性の高い（故障が少なく精度が高い）装置です。

リングレーザジャイロの原理

レーザー光線は周波数と波長が一定の光です。2つのレーザー光線を一箇所で重ね合わせると、光の波の山と山、谷と谷が重なって明暗の縞模様ができます。
2つの光線の周波数が同じとき、縞模様は止まっています。

全反射鏡
全反射鏡
部分反射鏡
プリズム
検出器

リングレーザージャイロの内部では右回りと左回りにレーザー光線を増幅させて、部分反射鏡から検出器に向けてレーザー光線を発射します。
ジャイロ全体が、例えば右回りに回転すると、右回りの光線は1周がほんの少しだけ長くなり、逆に左回りの光線は少しだけ1周が短くなります。少し説明を省きますが、レーザー光線の通り道の距離が変化すると、光線の周波数がわずかに変化します。右回りと左回りの光線が重なってできる縞模様はこの変化により横に移動するため、検出器によって、ジャイロの回転、すなわち機体の回転が検出できます。

IRU内部
X軸　Z軸　Y軸

3つの軸それぞれにリングレーザージャイロと加速度計があります。IRU（ジャイロと加速度計）は機体に固定されています。

大げさに書くとこんな感じですが、実際にはほんの少しだけ距離が変わります

ALIGN（アライン）

機体が静止した状態でIRUを起動すると、3つの軸の加速度計はそれぞれが機体の傾きに応じて重力の成分を出力します（駐機場は完全な水平ではありませんし、飛行機自体も通常は若干傾いています）。
IRUは3つの加速度計の出力の合成ベクトルに垂直な面（つまり水平面）を『仮想プラットホーム』としてコンピューターの中に計算で作り出します。

X　Y　Z

仮想プラットホーム

次にIRUはリングレーザージャイロで地球の自転方向を検出します。

地球の自転はジャイロの回転として検出されます。
どの向きに回転しているかがわかれば機首方位（※真方位）がわかります。傾きの速さは緯度によって変わります

この図も大げさですが通常は10分程度で検出します

※真方位は地磁気ではなく自転軸を基準とした方位です

IRUは自機の緯度を計算して
くれますが、経度はわからないので
INUと同じように、最初に
緯度・経度を入力してあげます。
通常はGPS受信機から得られ
る緯度・経度を入力しま
すが、マニュアル入力
で緯度をまちが
えると、IRUに
怒られます🌀

[2]
N34°13.1'
E134°01.2'

駐機場の定位置の
正面には、スポット
番号と緯度・経度
が表示してあります。
高松空港でJALが
使用する2番スポッ
トはこんな感じです。

飛行機に
乗り降りするとき
に搭乗橋（ボーディン
グブリッジ）の窓から見
えます。

ウソつきは
キライ！

ワザとじゃ
ないんだ…

ALIGN中

私を
そっとしておいて

そんなこと
言うなよ〜

このように仮想プラットホームを作
り、機首方位を検出し、自機の
位置を特定するまでの工程を
「ALIGN（アライン）」といいます。
所要時間は緯度によって変わり
ますが、通常10分間ぐらいかかり
ます。
ALIGN中は機体が静止している
ことが大変重要です。台風などで
機体が揺れ続けているとIRUがへ
そを曲げてしまうので、私は泣き
そうになります…

NAVIGATION MODE（ナビゲーションモード）

ALIGNが終わるとIRUはNAVIGATION MODEとなり、
いろいろな情報を出力してくれます。

真方位と磁方位が
地球上のどこで
どのくらいズレているか
IRUはデータを
持っていて、現在地
をもとにズレを計算
してくれます。

機体の速度

風

上昇率

対地速度

真北（北極点）

磁北

現在地

南

西

仮想プラットホーム

3軸の加速度計をもとに計算した
機体の速度は、水平成分と
垂直成分に分けられて
「対地速度」と「上昇・降下率」
がわかります。

リングレーザージャイロによって
常に水平で一定方向を保ちます。
（地球の自転も考慮されます）
機体の姿勢表示の基準と
なります。

IRUが教えてくれるのは、

① 現在位置

② 機体の姿勢

③ 自転軸を基準とした真方位と
　現在地に応じた磁方位

④ 進行方向

⑤ 対地速度と上昇・降下率

⑥ 風向　風速

⑦ 機体の加速度と機軸回りの
　回転角速度・回転角加速度

⑧ 旋回時の横すべり　などです。

計器の表示はこんな感じです [2]
（737型機の例）

⑥風向
風速

⑤対地速度(GROUND SPEED)

④進行方向(TRACK)

GS220 TAS210
030°/50

TRK [90] MAG

MAGNET:
磁方位表示

③機首方位

BRUTE

POPAI

①現在位置

VOR 1
DME FMC L

VOR 2
DME

▶ TRK [90] TRU
TRUE:真方位表示

N 1 | LNAV | VNAV SPD

⑧横すべり 3000 1000

3400
3200
3000

2-
2800
2600

29.50

20

参考
対気
速度

⑤対地
速度

GS220

④進行方向
③機首方位

②機体姿勢

③上昇・
降下率

参考
気圧高度

方位の表示は、通常
磁方位を使用します。
過去から使われてきた
磁方位は、現在も航
空路図の表示や航空
管制指示で標準と
なっているためです。
機種にもよりますが、表
示は真方位に切替え
ることもできます。

IRUから得られる情報は計器表示だけではなくいろいろな
システムで使用されます。
例えば ・自動操縦装置（AUTO PILOT）
　　　　・飛行管理装置（FLIGHT MANAGEMENT SYSTEM）
　　　　・ヨーダンパー（YAW DAMPER）…第2章参照
　　　　・オートマティックブレーキシステム（ABS）…第9章参照
　　　　他にもたくさんあります。

1 姿勢の表示、機首方位の表示

ボーイング747-200

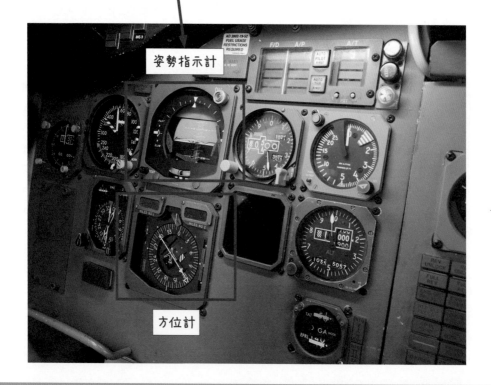

姿勢指示計

方位計

2 姿勢の表示、機首方位の表示

ボーイング737-800

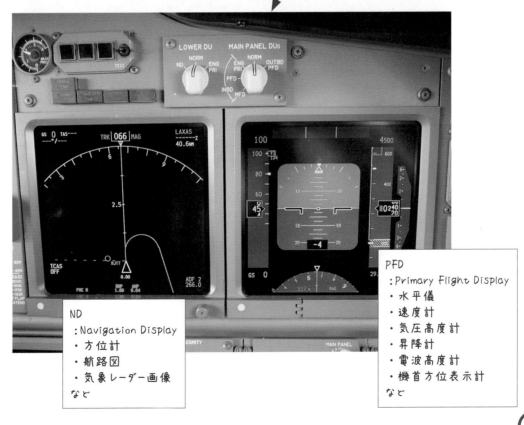

ND
: Navigation Display
・方位計
・航路図
・気象レーダー画像
など

PFD
: Primary Flight Display
・水平儀
・速度計
・気圧高度計
・昇降計
・電波高度計
・機首方位表示計
など

おまけ

電子のカバン

ボーイング787のEFB（Electronic Flight Bag：電子フライトバッグ）が羽田空港の空港情報を示しています。

EFBは汎用性のあるコンピューターで、運航情報、空港情報、各種マニュアルなどを電子化して画面で表示することにより、視認性が向上し、検索・閲覧が効率化されました。

また、従来はこれらの情報を紙媒体で機体に持ち込んだり搭載していたため、毎便ごとの乗員の労力軽減とともに、ルートマニュアル等の差し替え作業に伴う最新性管理の向上と労力削減、大量の紙資源の節約が実現できました。

ボーイング787から標準装備となり、その導入に先立ち日本ではボーイング777を使用した実証実験が2007年より行われ、運航の安全性が確認されました。

第 11 章

酸素系統

高度8,000mから10,000mを巡航するとき、機外の気圧は地上の1/4ほどです。急減圧が生じた際に、乗客・乗員に酸素が供給できるように、酸素ボトルや化学反応式酸素発生装置が搭載されています。

酸素系統

この章は酸素系統について解説します。
毎便飛行前に『安全のためにビデオを御覧いただきます』という案内に続いて、酸素マスクやその他の非常装備品について機内ビデオ **1** で紹介しています。

飛行機に乗り慣れている方にとっては、『そんなこともう知っているよ…』と思われる内容かも知れませんが、もう少し詳しく知ると、イザという時に役立つかも知れません。

もちろん、そんなことが起こらないように私達は万全を期して運航しています。どうぞ安心して空の旅をお楽しみ下さい。

チャラ
チャラ
チャラ
リラ〜ン

みなさまの
安全のために

ご搭乗
ありがとう
ございます

そもそも、なぜ旅客機に酸素系統の装備が必要なのかというと…

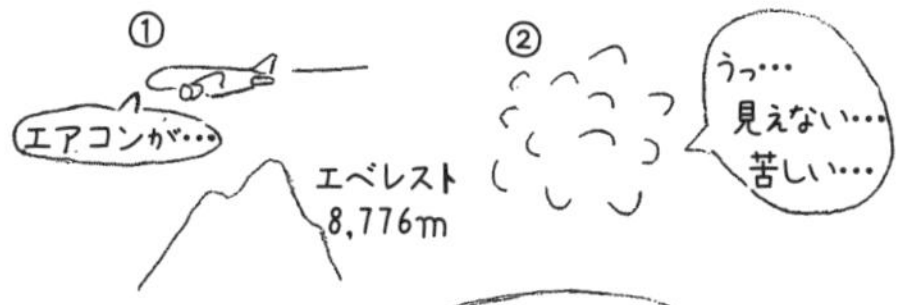

①ジェット旅客機の巡航高度は10,000m以上です（エベレストの山頂よりも高い）。万が一、機内が減圧したときに呼吸困難に陥るのを防ぐためにあります。

第1章エアコン編も御覧下さい

①
エアコンが…

②
うっ…
見えない…
苦い…

エベレスト
8,776m

②これも万が一、機内に煙が発生したときに、乗務員が操縦、通信、消火、避難誘導など必要な業務を遂行するためにあります。

これは実際
たまにあります

③機内で急病人が発生した場合に備えるためにあります。

運航乗務員用酸素システム

運航乗務員用酸素システムは右図のように酸素ボトル
(OXYGEN BOTTLE) **2**、
圧力調整器
(PRESSURE REGULATOR)、
酸素マスクボックス
(OXYGEN MASK BOX) **3**、
ブローアウトディスク **5**
などで構成されています。

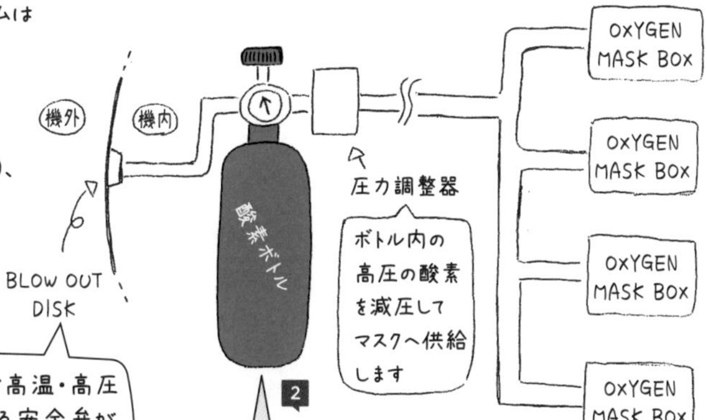

機外　機内

BLOW OUT
DISK

酸素ボトル

2

圧力調整器

ボトル内の
高圧の酸素
を減圧して
マスクへ供給
します

OXYGEN
MASK BOX

OXYGEN
MASK BOX

OXYGEN
MASK BOX

OXYGEN
MASK BOX

パイロットは2名ですが、コクピットにはそのほか1〜2名分のオブザーバー席があります。

酸素ボトルが何らかの原因で高温・高圧になったとき、ボトル首部にある安全弁が開き、高圧酸素がブローアウトディスクを吹きとばすため、地上での機体点検時にボトルが空になったことがわかります。

酸素ボトルの色は
緑色をしています。

このオブザーバー席は乗務員の訓練や審査、整備士の同乗などに使われます

日本国内では『高圧ガス取締法』によって酸素ボトルの色は『黒色』と決められていますが、航空機に搭載される酸素ボトルは国際民間航空条約に則った『航空法』の適用を受けるため、ボトルの色は航空機用の国際標準である『緑色』と決まっています。

737型機の機長用酸素マスクボックス **3** はここにあります。

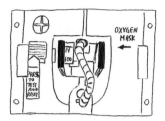

OXYGEN MASK

PRES TO REST AND RSET

酸素マスクボックス **3** は
こんな感じです。
ツマミをにぎって
『ズボッ』と引き出すと

こんなのが
出てきます

（737型機＆
MD90型機の例）

DILUTER
DEMAND
REGULATOR

口もとには
マイクが
内蔵されて
います

ここをつまむと酸素の圧力で
ハーネスがふくらみ、頭からすっぽり
かぶれます。
つまみを離すとハーネスが縮み、マスク
が顔面に密着します。

運航乗務員用酸素マスク **4** はフルフェイス
タイプで、目と鼻と口をすっぽり覆うようにつ
くられています。

万が一、操縦室内で煙が発生したときでも
操縦や通信など必要な任務を遂行できる
ようになっています。

オブザーバー用としては、ゴーグルとマスクが
用意してあります。

機長が飛行中に操縦室を出る時がありま
すが、その際には副操縦士が酸素マスクを着用しています。

万が一の緊急事態が1人の時に発生した場合でも素早く対処ができるように
どの航空会社でもこのような手順がマニュアルに定められています。

酸素はDILUTER
DEMAND REGULATOR
（ダイリューターデマンド
レギュレーター）
という調整器を通って
供給されます。

　DILUTER…ウイスキーの水割りならぬ、酸素の空気割りを作り
　　　　　ます。気圧が低いときは酸素を濃く、気圧が高いと
　　　　　きは酸素を薄くします。
　DEMAND…息を吸うときだけ酸素が供給され、息を吐くときは
　　　　　酸素が止まります。ムダ使いをなくし、酸素が長持
　　　　　ちします。

客室用酸素システム **6**

〈MD90型機〉

CHEMICAL
OXYGEN
GENERATOR
（化学的酸素
発生器）　マスク

客室の頭上にはビデオでご案内している通り、酸素マスクが
収納されていて『必要なとき』にフタが開いてマスクが出て
きます。では、『必要なとき』とは、どんなときでしょう？

　第1章で紹介していますが、飛行中の機内は、エアコン
　の空気をどんどん送り込んで風船のようになっています。

巡航高度（約10,000ｍ）では機外の気圧は
地上の1／4、このときの機内の気圧は地上
の3／4程度です（富士山の5合目よりちょっ
と上ぐらい）。

何らかの原因によって機内の気圧が低下す
ると、呼吸困難となり、低酸素症に陥るおそれが
あります。そのため、機内の気圧が標高約4,300ｍ
の気圧と同じにまで低下すると、自動的にマスク
が下りてきます。

10,000ｍ ──── 機外の気圧
（地上の1／4）

酸素マスク
が必要

4,300ｍ ──── マスクなしで呼吸
できる限界の気圧

3,776ｍ

2,440ｍ

通常の機内の
最高気圧
（地上の3／4）

Mt.Fuji

客室のマスクに供給される酸素は、酸素ボトルに
入っているものではなく、マスクのすぐ近くにある
CHEMICAL OXYGEN GENERATOR(ケミカル・オキ
シジェン・ジェネレーター：化学的酸素発生器)に
よって作られます。
ビデオで『マスクを強く引くと酸素が出ます』と案内
していますが、右図のようなしくみです。

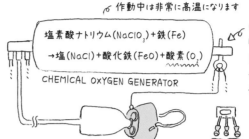

作動中は非常に高温になります

塩素酸ナトリウム($NaClO_3$)＋鉄(Fe)
→塩($NaCl$)＋酸化鉄(FeO)＋酸素(O_2)

CHEMICAL OXYGEN GENERATOR

ピンが抜けて
『カチッ』と
雷管をたたくと
化学反応が
始まります。

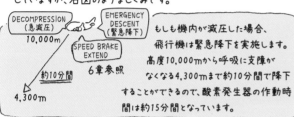

DECOMPRESSION(急減圧) 10,000m
EMERGENCY DESCENT(緊急降下)
SPEED BRAKE EXTEND
6章参照
約10分間
4,300m

もしも機内が減圧した場合、
飛行機は緊急降下を実施します。
高度10,000mから呼吸に支障が
なくなる4,300mまで約10分間で降下
することができるので、酸素発生器の作動時
間は約15分間となっています。

一般的な配置としては、
酸素マスクの数はその場所の座席数＋1個です
(一部の席では＋2個)。そのため、ヒザの上に
だっこしてお乗りいただく3才未満のお子様の人数
は、座席の列ごとに制限されます。
該当するお子様の座席指定はマスクの数を考慮し
ておりますので、ヒザにお子様を乗せて機内で座席を
移動される際には、必ず客室乗務員にお声を掛け
ていただくよう、お願いいたします。

携帯用酸素システム

機内には持ち運びができる酸素系統の装備が
2種類あります。

・携帯用酸素ボトル(PORTABLE OXYGEN BOTTLE) [7]

客室内には図のような酸素ボトルが737型機には5本、MD90
型機には6本、767型機には7本(客室の仕様により若干違
いがあり)が搭載されています。
前述の通り、酸素ボトルの色は緑色で、客室乗務員の座席
近くに配置されています。棚の中に収納されているものもあり
ますが、気をつけて見ればパーティション(ついたて)のカゲなど
にあるものは目にすることができます。

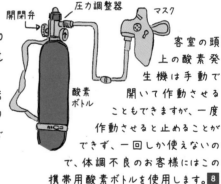

開閉弁　圧力調整器　マスク

酸素ボトル

客室の頭
上の酸素発
生機は手動で
開いて作動させる
こともできますが、一度
作動させると止めることが
できず、一回しか使えないの
で、体調不良のお客様にはこの
携帯用酸素ボトルを使用します。[8]

・PBE(PROTECTIVE BREATHING EQUIPMENT) [7][9]

別名SMOKE HOOD(スモークフード)とも呼びます。(…日本語に訳しにくい…)
万が一のためにある乗務員用の装備品です。
機内で発煙、火災が発生したときに、頭からすっぽり
とかぶって消火、誘導など、必要な任務を遂行するた
めに使います。
フードの中に小さな酸素ボトルが入っていて、両手を
塞ぐことなく視界と呼吸を確保し、会話をすることも
できます。
737型機には4個、
MD90型機には5個、
767型機には5個
搭載されています。
(1個は操縦室、その他
が客室にあります)

一例です。いくつか形状が違う
タイプがあります。

酸素供給の持続時間は
客席用酸素と同じ約15分間
です。酸素がなくなると窒息す
るので、フードの中でランプが
赤く点灯して供給終了を知らせ
ます。

小型
酸素ボトル

ぐいっと広げてかぶると
首に密着します

かぶると
レバーが動いて
酸素が出ます

箱から
出すと…

PBEも客室乗務員の
座席近くにあります

こんな箱の中に
すっぽりかぶるお面が
入っています

1 安全のためのビデオ（マスクの装着）

ゴムバンドを頭にかけ長さを調節します。

離陸前の安全ビデオ

2 飛行機用酸素ボトル

飛行機用　　　　　　　　一般用

3 運航乗務員用 酸素マスクボックス

ボーイング737-800

4 運航乗務員用酸素マスク

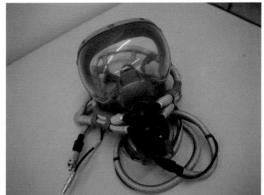

5 ブローアウトディスク (Blow Out Disk)

ボーイング737-800

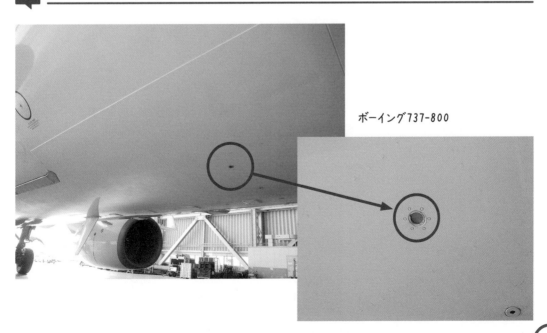

6 客室用酸素システム

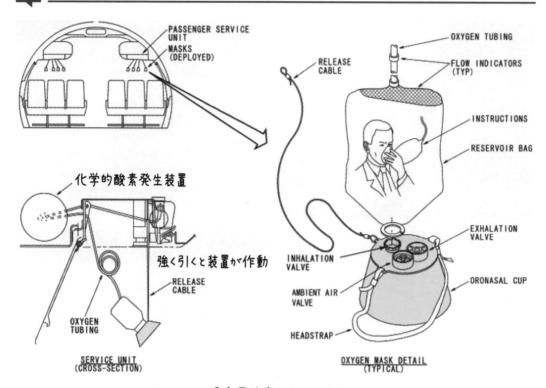

乗客用酸素マスクの一例

出発前の安全ビデオは必ずご覧下さい。

7 客室用酸素ボトルとPBE (Protective Breathing Equipment)

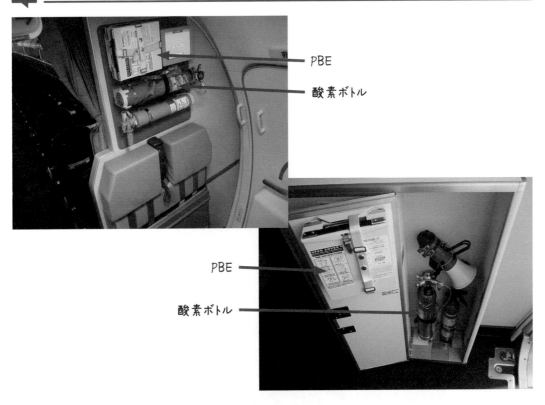

PBE

酸素ボトル

PBE

酸素ボトル

8 客室乗務員による救命救急訓練の様子

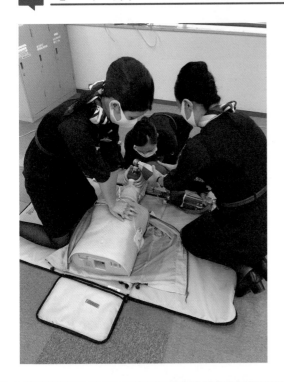

9 客室乗務員による機内消火訓練の様子

客室乗務員がPBE（Protective Breathing Equipment）を装着して客室の手荷物入れの消火訓練をしています。

（第11章以上）

第**12**章

水系統

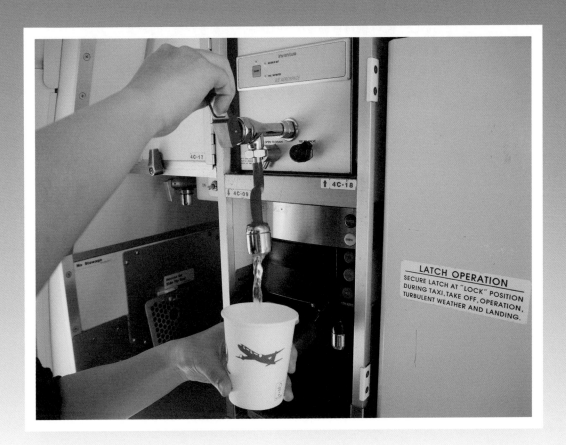

機内にいくつもあるギャレー（調理台）やラバトリー（トイレ）の蛇口からは、出発空港で搭載したフレッシュな水が出せます。しかし、飛行機は自動車などと同様に、重量が軽いほど消費燃料は少なく済み、排出するCO_2が少なくなります。従って、航空会社によっては機内で使用する水の搭載量を使用実績に合わせて適正化し、機体重量の軽量化を図っています。

この章は水系統について解説します。

水系統はポタブルウォーターシステム（POTABLE WATER SYSTEM：一般的には『上水道』）と、ウェイストウォーターシステム（WASTE WATER SYSTEM：一般的には『下水道』）に大別されます。

POTABLE＝飲用に適した
PORTABLEではありません。

POTABLE WATER SYSTEM

水のタンクは強化プラスチック（FRP：FIBER REINFORCED PLASTIC）製です。軽くて丈夫で腐食しない、水のタンクにピッタリの素材です。

容量は機種によって異なり、MD90型機は47ガロン（178ℓ）、737型機は60ガロン（227ℓ）、767型機は長距離型だと285ガロン（1,079ℓ）の水を搭載することができます。

（737型機の
POTABLE WATER
SYSTEM概略）

エンジン又は補助エンジンからの圧縮空気

フィルター 圧力調整機 逆止弁 補給弁

駐機中でエンジンが停止しているときに使います

空気ポンプ（電動）

POTABLE WATER TANK（FRP製）

1ガロン
＝
約3.785ℓ

トイレ（LAVATORY）　洗面台　調理台（GALLEY）　湯沸かし器　コーヒーメーカー　蛇口

便器　ヒーター

排水弁

排水口　補給口

ドレインマスト

タンクからトイレや調理台（ギャレー：GALLEY）2に水を送り出すために、飛行機では空気圧を利用します。エンジンや補助エンジンから高温高圧の圧縮空気を導いて圧力を35～38psiに調整したのち、タンク内を加圧します。水は空気に押されてトイレと調理台に供給されます。

トイレでは洗面台の蛇口と便器の洗浄水、調理台では水の蛇口、コーヒーメーカー、湯沸かし器で水を使用します。

1気圧
＝
約14.7psi

タンクの中は、飛行機の定期点検時に内部を消毒処理します。日常の運航では定期的に蛇口から水を採取して水質検査を実施しています。タンク内の水は余っていても、定期的に全量を入れ替えています。

給水設備や給水車も水質検査を実施して、常に安全な水を提供しています。

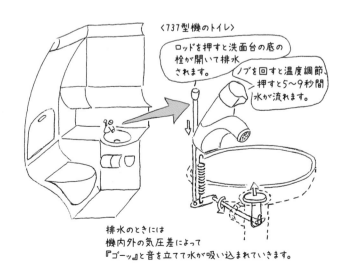

〈737型機のトイレ〉

ロッドを押すと洗面台の底の栓が開いて排水されます。

ノブを回すと温度調節 押すと5～9秒間水が流れます。

排水のときには機内外の気圧差によって『ゴーッ』と音を立てて水が吸い込まれていきます。

WASTE WATER SYSTEM

排水

調理台(GALLEY:ギャレー)の流し台とトイレ
(LAVATORY:ラバトリー)の洗面台からの排水は、胴体
下部のドレインマスト(DRAIN MAST)
から機外へ排出されます。

Q:…ん? 機外へ? 大丈夫?

A:離陸および着陸時には

> 直訳すると『排水突起』
> つまり機体からつき出した
> 排水口です

> 前方ドレインマスト
> 後方ドレインマスト
> ドレインマストは
> 前方後方それぞれのトイレと
> 調理台用にあります。
> 第8章で紹介したとおり、先端には着氷防止
> のヒーターが装備されています。

客室乗務員も含めて客室の全員が着席をするので、

飛行中で地面が近いときには水を排出することはあ

りません。〔客室乗務員のマニュアルでは高度10,000フィート(約3,300m)以下での排水を禁止しています。〕

10,000フィート以上でドレインマストから排出された水は気流によって水しぶきとなり、地上に到達することなく

蒸発してしまいます。したがって、排水が地上に

落ちることはありません。

> ジュースや甘いコーヒーなど、糖分を多く含んだ飲み物をその
> まま排出すると、ドレインマストから後方の胴体下面がベタ
> ベタに汚れるので、私達は『トホホ…』となります。

トイレ(汚水) 3

すでに退役してしまったMD80シリーズやA300型機などでは、トイレは循環式の簡易水洗型

が使われていました。

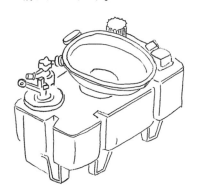
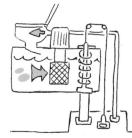

簡易水洗型のトイレは汚水タンク
が便座のすぐ下にあって、洗浄水
は汚水タンク内の水をフィルターを
通して循環させるタイプです。
タンク内には消臭のための青い薬
剤を入れてにおいを防ぎますが、そ
れでもやはり「クサイ」トイレでした。

現在運航中の機種では、トイレは全て吸引式(VACUUM WASTE SYSTEM)が装備されています。

排泄物は水流ではなく空気で流されていきます。

〈737型機〉
(国内線)

〈トイレと配管、汚水タンクの配置〉

〈VACUUM TOILET〉

長い配管の詰まりを除くための
点検口があります

〈CLEAN OUT FITTING〉

床下貨物室の天井を開けて
みるとこんなかんじです
(前方から後方を見たところ)

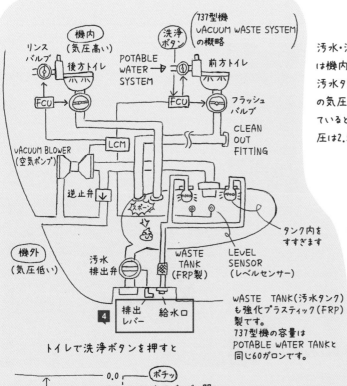

リンス
バルブ 機内
（気圧高い） 洗浄
ボタン 737型機
VACUUM WASTE SYSTEM
の概略

後トイレ POTABLE
WATER
SYSTEM 前方トイレ

FCU FCU フラッシュ
バルブ

VACUUM BLOWER
（空気ポンプ） LCM CLEAN
OUT
FITTING

逆止弁

スポンジ タンク内を
すすぎます

機外
（気圧低い） 汚水
排出弁 WASTE
TANK
（FRP製） LEVEL
SENSOR
（レベルセンサー）

4 排出
レバー 給水口

トイレで洗浄ボタンを押すと

汚水・汚物を勢いよく流すための空気の流れ
は機内と機外の気圧差によって生じます。
汚水タンク内と各トイレまでの配管は、機外
の気圧と等しくなっており、巡航高度を飛行し
ているとき、フラッシュバルブの上流と下流の気
圧は2.5倍ぐらいの差があります。

FCU : FLUSH CONTROL UNIT
　　（フラッシュコントロールユニット）
　フラッシュバルブとリンスバルブの動きを
　コントロールします。

LCM : LOGIC CONTROL MODULE
　　（ロジックコントロールモジュール）
　システム全体の作動状態をモニターし、
　汚水タンクが満水になるとVACUUM
　WASTE SYSTEMの作動を停止します。
　また、VACUUM BLOWERの作動も
　コントロールします。

WASTE TANK（汚水タンク）
も強化プラスティック（FRP）
製です。
737型機の容量は
POTABLE WATER TANKと
同じ60ガロンです。

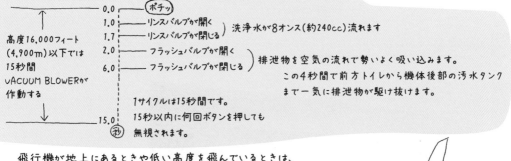

0.0 ┤ ポチッ

1.0 ┤ リンスバルブが開く
1.7 ┤ リンスバルブが閉じる
2.0 ┤ フラッシュバルブが開く
6.0 ┤ フラッシュバルブが閉じる

高度16,000フィート
（4,900m）以下では
15秒間
VACUUM BLOWERが
作動する

洗浄水が8オンス（約240cc）流れます

排泄物を空気の流れで勢いよく吸い込みます。
この4秒間で前方トイレから機体後部の汚水タンク
まで一気に排泄物が駆け抜けます。

1サイクルは15秒間です。
15.0 ┤ 秒 15秒以内に何回ボタンを押しても
無視されます。

飛行機が地上にあるときや低い高度を飛んでいるときは、
機内と機外の間に汚水・汚物が流れるために必要な気圧
差がありません。
そこで高度が16,000フィート（約4,900m）以下の
ときにトイレの洗浄ボタンを
押すと、VACUUM BLOWER
（バキュームブロワー：強力な
空気ポンプ）が作動して、
汚水タンク内の空気を機外へ
排出し、必要な気圧差を作り出します。
駐機中の点検で汚水タンクの空気
排出口 5 付近にいるときに、トイレで洗浄ボタンを
『ポチッ』と押されると、なかなか強烈なニオイを
モロに受けることがあるので、私達整備士にとっては
点検中の要注意ポイントです。

おっと
失礼

1 給水・排水

ドレインマスト（赤丸内）

給水作業（黄色レバーはタンクからの排出レバー）

2 調理台（ギャレー）

エアバスA350-900の最前方ギャレー

給湯ユニット（左）と
コーヒーメーカー（右）

各機種のトイレ（ラバトリー）

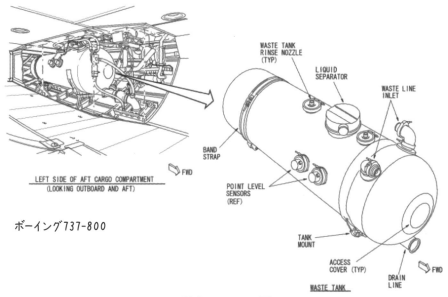

ボーイング737-800

WASTE TANK
RINSE NOZZLE
(TYP)

LIQUID
SEPARATOR

WASTE LINE
INLET

BAND
STRAP

POINT LEVEL
SENSORS
(REF)

TANK
MOUNT

ACCESS
COVER (TYP)

DRAIN
LINE

FWD

WASTE TANK

汚水タンクの一例

エアバスA350-900の広いラバトリー
設置場所により違いがあります

ボーイング787-8
温水洗浄機能付き便座

4 | 汚水の排出

5 | トイレの排気口

番外 ボーイング787の排水システムについて

ボーイング787は環境にやさしい飛行機を目指しており、ギャレーで使用した水やトイレの手洗い水を機外に排出せず、トイレタンクに汚水として流して溜めておきます。

しかし、トイレと同じ配管ですと匂いや逆流の恐れがあります。そこで、特別なバルブをつけ、シンクの下のタンクに一定量の水が貯まると中枢のコンピューターからの指令によって、トイレ配管まで流すようにコントロールしています。これにより、排水を空中散布しない、環境に配慮した設計となっています。

ボーイング787排水システム略図

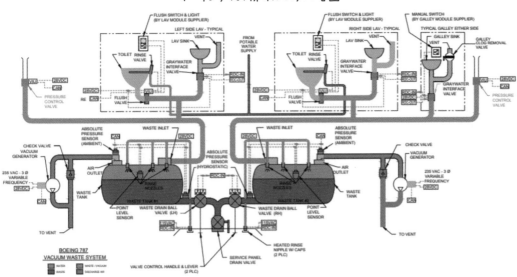

おまけ

ドレインマストのない機体

前ページの排水システムによって排水は機内のタンクに溜めるため、ボーイング787の胴体下面にはドレインマストはついていません。

のっぺりとした下面に見える突起はVHFなどのアンテナ類です。

（第12章以上）

第 **13** 章

補助エンジン
（APU）

補助エンジンといっても空を飛ぶための補助ではなく、専ら地上で活躍するガスタービンエンジンです。バッテリーでスタートし、装備した発電機やコンプレッサーを駆動して、主エンジンが停止している時でも電力や圧縮空気を機体のシステムに供給します。一部の補助エンジンは油圧ポンプを装備し、油圧も供給します。写真はボーイング737-800の補助エンジンです。

第13章 補助エンジン（補助動力装置：Auxiliary Power Unit: APU）

この章は補助エンジン **1** について解説します。
補助エンジンは、もう少し日本語で正確に表記すると補助動力装置、英語ではAUXILIARY POWER UNITといいます。略称はAPUです。ここでも以降の表記はAPUと書くことにします。

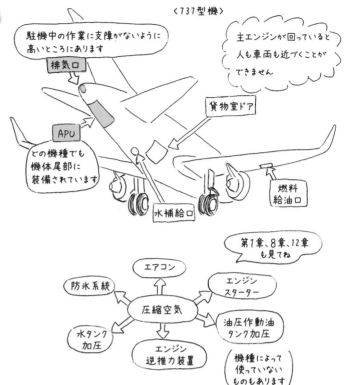

〈737型機〉

駐機中の作業に支障がないように高いところにあります

排気口

主エンジンが回っていると人も車両も近づくことができません

貨物室ドア

APU

どの機種でも機体尾部に装備されています

水補給口

燃料給油口

APUの目的

APUは飛行機に電源と圧縮空気を供給するために装備されています。

主エンジンは運転中に前方から大量の空気を吸い込み、後方へは高温高速の排気を広範囲に噴出します。大きな運転音も発生します。そのため、主エンジンが回っていると旅客の乗降や貨物、機内食、燃料、水の搭載など必要な作業ができません。

地上設備が整っていれば、電源や空調などをそこから得ることができますが、すべての駐機場で整っている空港はそう多くありません。

設備がない駐機場で、出発前の準備や到着後の作業などをする際に必要となる電源や圧縮空気を供給するためにAPUが使用されます。

第1章、8章、12章も見てね

エアコン

防氷系統

圧縮空気

エンジンスターター

油圧作動油タンク加圧

水タンク加圧

エンジン逆推力装置

機種によって使っていないものもあります

また、主エンジンの始動は通常、飛行機を駐機場から押し出しながら行いますが、APUが使えなければ駐機場で電源ケーブルと圧縮空気の供給ホースを機体につないだまま主エンジンを始動し、急いで片付けてから飛行機を押し出さなければならず、私達整備士にとっては大変骨の折れる作業となります。

APUさん ありがとう…

ガスタービンエンジン

APUはガスタービンエンジンという種類のエンジンです。

「タービン」とは風車をぐるぐる回して気流のエネルギーを回転軸の運動エネルギーに変換する装置です。

火力発電所や原子力発電所では高温高圧の水蒸気をタービンに当てて発電機を回します。これを蒸気タービンといいます。航空機用ガスタービンエンジンは、ジェット燃料を燃焼させて得られる高温高圧のガスをタービンに当てて回転軸を回し、出力を得るエンジンです。

APUの場合は、回転軸の出力でエンジンの運転に必要な圧縮機（コンプレッサー）、燃料ポンプ、オイルポンプなどの補機類を駆動するとともに、本来の目的である発電機とロードコンプレッサー（後述）を回します。

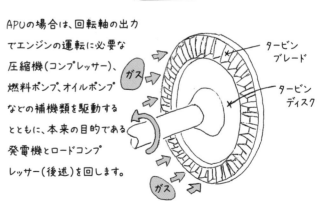

ガス

タービンブレード

タービンディスク

ガス

補助エンジン（補助動力装置：Auxiliary Power Unit: APU）

主要構成部 2 と働き　（例 ボーイング737のAPU）

①圧縮機（COMPRESSOR）

燃料を燃焼させるためには、空気（酸素）が必要です。
出力を高めるためには、たくさんの燃料を燃やす必要が
あり、そのためには大量の空気が必要となります。
圧縮機は空気をギューッと圧縮して、燃焼室にどんどん
送り込みます。
ガスタービンエンジンの圧縮機には、遠心式と軸流式
の2つのタイプがあります。

軸流式は段数を増
やすことによって圧縮
比を非常に高くする
ことができますが、全
長が長くなるという
欠点があるので、APU
では遠心式を採用
するメーカーが
ほとんどです。

遠心式　軸流式

②燃焼室（COMBUSTION CHAMBER）

圧縮された空気に燃料を噴射して燃焼させる
部屋です。
圧縮機→燃焼室→タービンの流れは一直線の
ほうが効率が良いのですが、APUはできるだけコンパ
クトにするために逆流式燃焼室が使われています。

全長が長くなる　　コンパクト

燃料噴射
ノズルは円周上
に10個ほど均
等に配置され
ています。点火
プラグは1個だ
けで、APU始動時の最
初の10数秒間だけ
パチパチと火花を散ら
して燃料に着火させます。
（イメージ的にはガスコンロ
のような感じです）

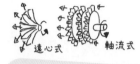

②燃焼室
（COMBUSTION
CHAMBER）

①圧縮機
（COMPRESSOR）

スターター
モーター（電動）

排気

③タービン
（TURBINE）

吸気

④ロードコンプレッサー
（LOAD COMPRESSOR）

ここに
発電機が
とりつきます

⑤アクセサリー
ギアボックス
（ACCESSORY
GEAR BOX）

ECU
APUを
管理する
コンピューター

燃料ポンプ
燃料コントロールユニット
オイルポンプ
フィルター類など

③タービン（TURBINE）

前述のとおり燃焼ガスの高温高圧のエネル
ギーを軸の回転運動に変換する風車です。
このAPUでは、軸流式の2段タービンで回転
軸を毎分48,800回転もの高速で回します。
タービンの羽根（タービンブレード）や土台と
なる回転盤（タービンディスク）は約1,000℃
にもなる燃焼ガスを直接受けながら高速回
転するので、非常に高価な超耐熱合金ででき
ています。

⑤アクセサリーギアボックス（ACCESSORY GEAR BOX）

エンジン回転軸の回転数を歯車によって減速
し、燃料ポンプ、オイルポンプ、発電機、冷却ファ
ンなどを駆動します。
電動のスターターモーターもアクセサリーギアボック
スに取りつけられていて、始動時はバッテリーなど
の電力でAPUを回します。（737型機はスターターと
発電機が一体のスタータージェネレーターが装備
されています。）

④ロードコンプレッサー（LOAD COMPRESSOR）

機体の各システムに圧縮空気を供給するための専
用圧縮機をロードコンプレッサーといいます。
エンジン部の圧縮機と向かい合わせに、同じ遠心
式の圧縮機が配置されています。
旧式のAPUは、エンジン部の圧縮機から一部の空
気を抜き出して機体へ供給していましたが、エンジ
ンの効率が低下し、より多くの燃料を消費するの
で、ロードコンプレッサーを独立させる方式に改良
されました。

> APUの発電機は定速駆動装置を介して
> いないので、発電周波数を400Hzに保つた
> め、APUは定速で回転する必要があります
> （第4章参照）。

作動概要

APUは始動と停止だけ操作を必要としますが、運転中の制御、監視、保護などはすべて自動で行われます。

操縦室のスイッチは OFF ON START 又は OFF ON START こんな感じです。
（ひと昔前の機種では、スイッチや計器がもう少しありました。）

APUを管理するコンピューターはECU（ELECTRONIC CONTROL UNIT）といいます。ECUはAPUの各種センサーから情報をもらい、燃料の調整とロードコンプレッサーを流れる圧縮空気流量の調整をしながらAPUを常に一定の回転数に保ち、異常が発生した場合には一部の機能を制限したり、APUを自動的に停止したりします。

機種によってECBとかAPUCとかちょっと名前が違ったりします

発電優先なので、回転数を維持するために圧縮空気の圧力や流量を制限することがあります

オイル温度／オイル圧力／オイルフィルター目づまり／ロードコンプレッサー圧力センサー／流入空気温度（気温）／流入空気圧力（気圧）／排気ガス温度／回転数／ECU

APU始動

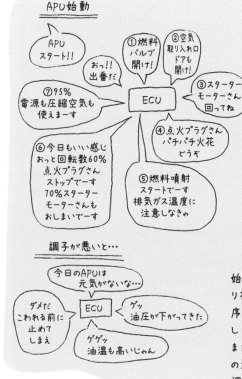

エアコン使用／主エンジンスタート

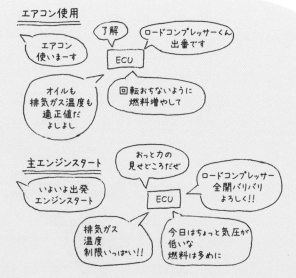

始動や停止の操作は操縦室のスイッチをカチっと切り換えるだけですが、ECUはたくさんの機能部品に順序良く指令を伝えてスムーズな始動と停止を制御します。

また、ロードコンプレッサーや発電機の負荷量と外気の温度、圧力（地上から高々度まで）に応じた燃料調整をして、安定した運転を保ちます。

主エンジンの発電機が故障した時は飛行中にAPUを運転することがあります

ちなみに…

高松空港にはAPUが使えないときに使用する電源車とASU（エアスターターユニット：圧縮空気を供給する装置）がありますが、その重さは…

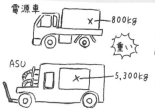

電源車 800kg
重い！
ASU 5,300kg

737型機のAPUは約180kgです。APUはスリムで力強い、頼りになるヤツです。

1 補助エンジン（補助動力装置：Auxiliary Power Unit: APU）

APU

APU排気口

ボーイング737-800

ボーイング777-300ER

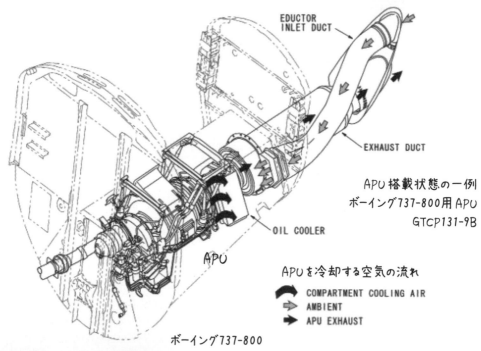

EDUCTOR
INLET DUCT

EXHAUST DUCT

OIL COOLER

APU

APU搭載状態の一例
ボーイング737-800用APU
GTCP131-9B

APUを冷却する空気の流れ

COMPARTMENT COOLING AIR
AMBIENT
APU EXHAUST

ボーイング737-800

APUを下から見上げています。
黒くて大きいのがSTARTER/GENERATORでバッ
テリーからの電力で回転し、APUを始動させま
す。
定速回転後は発電機となって機体に電力を供
給します。

ボーイング767用 APU
GTCP331-200

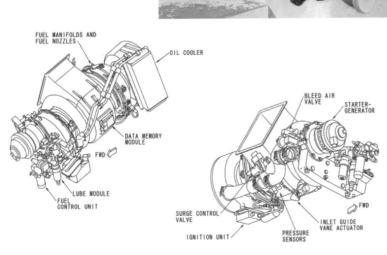

FUEL MANIFOLDS AND
FUEL NOZZLES

OIL COOLER

DATA MEMORY
MODULE

FWD

LUBE MODULE

FUEL
CONTROL UNIT

BLEED AIR
VALVE

STARTER-
GENERATOR

FWD

SURGE CONTROL
VALVE

IGNITION UNIT

PRESSURE
SENSORS

INLET GUIDE
VANE ACTUATOR

APUの一例

番外 補助動力装置（APU）の利用削減

補助動力装置（APU）は機体の尾部にあります

飛行機は、地上に駐機中も機内の照明などのために電力と機内の空調を必要とします。そのため、多くの大型旅客機の尾部には補助動力装置（APU：Auxiliary Power Unit）が備えられています。APUは小型のジェットエンジンと同じ構造で、航空燃料を使用しています。従って、このAPUを稼動させることで、CO_2が排出されます。またAPUは、駐機場から滑走路へ続く誘導路に向かって、トーイングカーにより後ろ向きに押し出されるプッシュバック中のエンジンスタートに必要不可欠です。

飛行機の出発時、このAPUの稼動開始を可能な限り遅らせ、APUの利用時間を短くすることが、CO_2削減につながります。APUを利用しない時の電力や空調は地上設備により行われますが、この地上設備は飛行機への搭載を前提として設計されたAPUと比較して、効率が良く、排出されるCO_2量や騒音低減の面でも有利です。

JALグループでは運航乗務員、出発作業を担当する整備士、地上係員が連携し、お客さまの快適性を損なうことなくAPU利用時間を可能な限り短縮し、出発作業に起因するCO_2の削減に努めています。

例えば、羽田空港で、ボーイング777のAPUによる電力と空調の供給を、地上設備に10分間切り替えると、100kg以上のCO_2が削減できます。

（日本航空株式会社HP：サステナビリティ 環境気候変動への対応 日々の運航での工夫 より）

（第13章以上）

第 **14** 章

機体構造

旅客機の機体構造の主体はこの写真のとおりフレーム（枠）とストリンガー（縦通材）とスキン（外板）です。ボーイング787では材料が炭素繊維（カーボン）プラスチックに変わりましたが、最新のエアバスA350はアルミニウム合金に戻りました。軽量化と経済性の追求が続きます。
写真はボーイング767-300の改修作業です。

この章は機体構造について解説します。

飛行機は空を飛ぶために軽く、かつ必要な強度を備え、旅客と貨物を運ぶためにできるだけ大きな容積を確保する工夫が施されています。

737型機

ドーサルフィン FRP

垂直尾翼の一部と方向舵 FRP

水平尾翼の一部と昇降舵 FRP

ウイングレット FRP

主翼の一部（前縁、後縁）FRP

前脚カバー FRP

補助翼 FRP

エンジンカウリングの一部 FRP

レドーム FRP

ウイング・ボディー・フェアリング FRP

フラップフェアリング FRP

主脚カバー FRP

飛行機の構造部材に多く使われているのは、アルミニウム合金とFRPです。

胴体、主翼、尾翼、ドアなど大部分はアルミニウム合金でできています。

アルミニウム合金

アルミニウムは安価で軽量ですが、そのままではフニャフニャで飛行機の構造部材としては使えません。

しかし微量の金属、非金属成分を混ぜて合金とし、さらに熱処理を加えることで飛行中や着陸の荷重に耐える程の強度を持たせることができます。

グシャ

アルミ缶もアルミ合金ですが、アルミニウムの純度が高いので簡単につぶれてしまいます

混ぜる成分は、銅、マンガン、シリコン、マグネシウム、亜鉛などです。台所にあるアルミ鍋や自動車のアルミホイールもアルミニウム合金、いわゆるジュラルミンですが、飛行機に使われるのはちょっと高級な超ジュラルミン、超々ジュラルミンと呼ばれるものです。

合金は含まれる成分と熱処理の方法によって少しずつ違った特性を持っています。機体各部には、その特性を活かした使われ方がされていて、揚力を発生する主翼上面には圧縮荷重に強いアルミニウム合金、下面には引っぱり荷重に強いアルミニウム合金が使用されています。

アルミニウムはもともとサビにくい金属ですが、超ジュラルミン、超々ジュラルミンなどの合金は少しサビやすくなってしまうので、合金の表面にほぼ純粋なアルミニウムの薄い皮膜をコーティングする「クラッド加工」がしてあります。

アルミニウム皮膜

アルミニウム合金

クラッド（CLAD）には英語CLOTHEの過去分詞や形容詞として「着た、覆われた」の意味があります。

おめかしされちゃった♡

FRP（FIBER REINFORCED PLASTIC）

FRPは直訳すると『繊維強化プラスチック』です。私達の身近なところでは、釣竿やラケット、車のバンパー、小型ボートなど、いろいろ使われていますが、飛行機にも多く使われています。例として737型機を上記で紹介していますが、主に操縦系統の動翼、気流を整えるためのフェアリング（整流板）、各部のカバーなどがFRPでできています。

繊維をエポキシ樹脂などのプラスチックで固めたものです

〈特徴〉
・金属よりも軽い
・引っぱりに対する強度が非常に高い
・サビない
・疲労しない

「あー疲れた」ではなく、金属が繰り返して力を受けると亀裂を生じる現象を疲労（金属疲労）といいます。

FRPは使用する繊維によっていくつかの種類があります。

GFRP〈GLASS FIBER：ガラス繊維〉
CFRP〈CARBON FIBER：炭素繊維〉
AFRP〈ARAMID FIBER：アラミド繊維〉など
（ARAMIDE＝AROMATIC POLYAMIDE）
（商品名ではケブラーやノーメックス）

最新鋭の787型機は技術の進歩によって従来の機種より胴体、主翼にCFRP **1** が多用されています。

胴体の構造 2

限られた機体の大きさで、たくさんの旅客や貨物を積むためには、丈夫で容積が大きく、かつ軽い胴体が必要です。そのために飛行機の胴体はセミモノコックと呼ばれる構造で作られています。

フランス語です

モノコック（MONOCOQUE）構造とは、日本語では応力外皮構造といいます。外皮、つまり外側の皮（というか殻というべき部材）にすべての力を受けもたせる構造のことをいいます。
一番わかりやすいのは卵の殻でしょうか。
実際の飛行機では、外皮だけで力を受けもつことは困難なので、外板（SKIN）、枠（FRAME）、縦通材（STRINGER）を組み合わせたセミモノコック構造が採用されています。各部材の結合には、フライパンの柄と同じような『リベット』が多く使われています。

FRAME

SKIN

FRAMEとSKINはCLIPを介して結合されています

STRINGER

CLIP

リベット

フライパンの柄を取り付けているのと同じような留め金具です。

胴体の断面形状

厚さは薄いところで約1mm
ドア周囲や窓枠部分で2mm～3.5mmほどです。

中・大型機はほぼ円型

737型機・MD90型機など小型機はダブル・バブル型
（機内外の圧力差に強く、容積を増す形です）

主翼の構造

主翼は飛行機を空中に浮かべる揚力と、着陸時に主脚にかかる機体重量を支えます。
エンジンが主翼にとりつけられている機種では、エンジンが強力に機体を引っ張る推力を支え、エンジンをつり下げる役目も受け持ちます。さらに主翼には、操縦系統の補助翼（エルロン）、フラップ、スラット、スポイラーなどが装備されていて、これらを作動させると主翼をねじる力が生じます。
このように複雑にかかる力を支えるために、軽くて丈夫な構造としてボックスビームと呼ばれる箱型構造で作られています。
桁（SPAR）、小骨（RIB）、外板（SKIN）、縦通材（STRINGER）を右図のように組み合わせて、主翼の中心に細長い箱型構造を形成し、前縁部（LEADING EDGE）、後縁部（TRAILING EDGE）、翼端部（WING TIP）3、エルロン、フラップ、スラット、スポイラーによって、きれいな流線形をつくっています。
（操縦系統の動翼については、第5章＆6章を参照ください。）

箱型の構造で主翼に受ける力を支えます

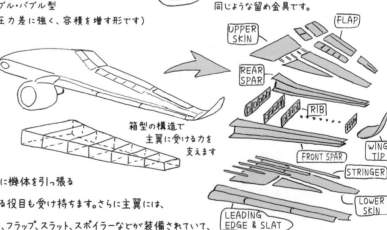

UPPER SKIN

FLAP

REAR SPAR

RIB

FRONT SPAR

WING TIP

STRINGER

LOWER SKIN

LEADING EDGE & SLAT

主翼内部は燃料タンクとして利用されています（第7章参照）

胴体と主翼の結合

プラモデルでは主翼を胴体に
横から差し込んで組み立てるものが
多いですが、実際の飛行機で同じ
ように主翼と胴体をつなげると、主翼付け根に
かかる揚力による「曲げ」の力をセミモノコックのフレーム
で支えることができずに折れてしまいます。
そこで、左右の主翼を一体構造にすることで、主翼の曲げの力を
胴体に伝えることなく支える
ようにできています。

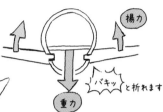

プラモデルと同じように組み立てると…

揚力

重力

バキッと折れます

胴体は下半分を切り欠いた部分で
主翼に上から乗っかるようにして
支えられています。また、切り欠いた
胴体部分の強度を補うためにキール
（KEEL：龍骨） **4** という太い柱が中央翼の下に
前後方向に取りつけられています。

中央翼後方の
胴体切り欠き部は
主脚の格納スペース
として利用されています。

胴体にかくれている
部分は「中央翼」
（CENTER WING）と
いいます。この内部も
燃料タンクとして利用されています。
（第7章参照）

キール（KEEL）
もともとは船の
この部分をいい
ます。

断面Ⓐ

断面Ⓑ

ウイング・ボディー
フェアリング（FRP）　キール

キール（KEEL）はキールビーム（KEEL BEAM）とも呼ばれています。

ドアあれこれ

飛行機は空気が薄い高度10,000mの
上空を飛ぶために、客室・貨物室内は気圧
を高く保っています（第1章&11章参照）。
巡航中の機内外の圧力差は1平方センチメートル
あたり約0.56kg、737型機の客室ドアの大き
さが高さ200cm幅80cmほどなので、ドアに
かかる力を計算してみると
　0.56×200×80＝8,960kgということで、
およそ9トンもの力で外側に向かって押される
ことになります。そのため多くの客室・貨物室
ドアは、開口部よりもドアの大きさが大きい
「プラグタイプ」で設計されています。

〈貨物室ドアの例〉
767ラージカーゴやA300など（ノンプラグタイプ）

開口部より大きなドアが外
側に開きます。ドアを閉めて
ロックするとドアは胴体の
フレームと一体化して荷重
を分担します。

737、MD90など（プラグタイプ）

開口部より大きなドアが
内側に開きます。

〈客室ドアの例〉（下記のドアはすべてプラグタイプ）
737、MD90など

ドアハンドルを操
作すると、ドアの上
下が折りたたまれ、
ドアが斜めに内側
に引き込まれます。
斜めになったドアは
ドアより小さな開口
部をうまくすり抜け
て外側へ開きます。

767、DC10、MD11など

ドアハンドルを操作す
ると開口部より大きなド
アは全体が引き込ま
れ、レールに沿って上方
へスライドします。

A300、777など

ドアハンドルを操作すると
ドアが上方へ持ち上が
り、機体側ストッパーとド
ア側ストッパーの位置が
ズレます。ドアは機体と
平行に外側へ開きます。

機体側
ストッパー

ドア側
ストッパー

ドア

機体

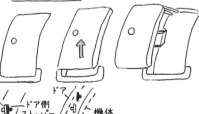

1 ボーイング787の機体材料

■ カーボン積層材
■ カーボン サンドイッチ
■ 他の複合材
■ アルミニウム
■ チタニウム
■ チタニウム/鋼/アルミニウム

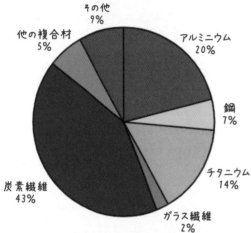

その他
9%

他の複合材
5%

アルミニウム
20%

鋼
7%

チタニウム
14%

炭素繊維
43%

ガラス繊維
2%

ボーイング787の機体材料は
約50%がカーボンやガラス繊維などの
材料でできています。

ボーイング777-300ER用
GE90-115B

複合材製のファンブレード　前縁部にはチタンを使用

2 胴体の構造

胴体の周囲はフレーム（枠）とストリンガー（縦通材）とスキン（外板）からできています。

床はストリンガー（縦通材）とウェブ（板）で丈夫な格子状にできています。

実物のボーイング747-200をカットしたものです。

巨大なフレーム（枠）によるダブルバブル型です。
客室の前方一部は2階席となっています。
主客室の床下は貨物室でコンテナが2列収納できます。

3 ウィングチップ、ウィングレット

ア：ボーイング767-300ER　　イ：エアバスA350-900　　ウ：ボーイング737-800　　エ：ボーイング787-8

4 キール、キールビーム

ボーイング777-300ER

（第14章以上）

第 15 章

エンジン
（その１）

写真のボーイング737-800のエンジンは、60年代に設計された機体のエンジンを大型化したため、地面にぶつからないよう翼前方に張り出し、カウリング（エンジン覆い）の下面が削られたオニギリ形をしています。地上付近で大量の空気を吸い込むため、運転時にはエンジン前方に立ちいらないよう、ハザードエリア（危険区域）を示す赤線がカウリング側面に書かれています。

エンジン（その１）

ここからはエンジンの解説です。飛行機のシステムの
中でも特に重要な系統で、この章は『推力』について
のお話です

そもそもジェットエンジンはなぜ
ジェットエンジンと呼ばれるのか…
それは『ジェット推進』という方法
で推力を得るエンジンだからです。

エンジンの目的…２つあります。

・推力（推進力）を得る。
・機体の電気系統、油圧系統、高圧圧縮空気系統へ
　それぞれ電力、高圧作動油、高圧圧縮空気を供給
　する。 （これまでの各章を御参照下さい）

《ジェット推進》

ジェット風船が空に向かって
飛んでいくのと同じしくみで
推進力を得ます。

ジェット推進は難しい言葉で書くと、物理の教科書に出てくる『作用・反作用』という原理を利用します。

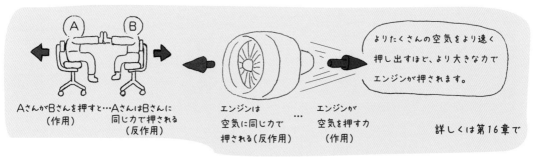

AさんがBさんを押すと…Aさんは Bさんに
（作用）　　　　　同じ力で押される
　　　　　　　　　（反作用）

エンジンは
空気に同じ力で
押される（反作用）

エンジンが
空気を押す力
（作用）

よりたくさんの空気をより速く
押し出すほど、より大きな力で
エンジンが押されます。

詳しくは第16章で

同じ推力を得るためには、
　　　少しの空気×速い速度＝たくさんの空気×ゆっくりとした速度…という関係があります。

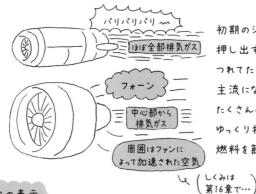

バリバリバリ〜
ほぼ全部排気ガス

フォーン
中心部から
排気ガス

周囲はファンに
よって加速された空気

（しくみは
第16章で…）

初期のジェットエンジン **1** は少しの空気を速い速度で
押し出すタイプでしたが、技術開発が進むに
つれてたくさんの空気をゆっくり押し出すタイプが
主流になりました。
たくさんの空気を
ゆっくり押し出す方が
（ゆっくり…といっても最大出力では
後方700mぐらいはキケンエリア
です。）
燃料を節約でき、騒音も小さくなるからです。

出力の表示

身近なエンジン（例えば自動車）の出力は、『トルク』や『馬力』
で表されます。電気モーターでは『ワット』が使われます。
トルクは軸を回す力の大きさを表し、馬力やワットはどのくらいの
トルクでどれくらい速く軸を回すことができるかを表しています。
エンジンの出力を軸の回転力として取り出す場合はこのような
表示が一般的ですが…

「トルク」は物理の教科書にある
「モーメント」と同じです

トルク＝力×距離

距離　　力の大きさ

速く回すほど大きな「馬力」
が発生します。

ジェットエンジンの出力は回転力ではなく、反作用による推力として得られるので、出力の表示はズバリ推力の大きさ、つまり飛行機を『どのくらいの大きさの力で前方へ引っぱる（または押す）ことができるのか』というように表します。

フルパワー!!

ここから少しややこしくなりますが…力を表す単位は、学校で習うものと産業界で使われるものとでは、ちょっと違っています。
ジェットエンジンの推力は、産業界で使われている工学単位系で表されています。また、飛行機はアメリカを中心に発達してきたので、単位は『LB（ポンド）』が多く使われています。

SI単位系
・学校の物理で習います。
・力の単位は『N（ニュートン）』
・質量1kgの物体を加速度1m/S²で加速する力を1Nと表します。

工学単位系
・産業界で広く一般に使われています。
・力の単位は『kgf（キログラム重）』
・質量1kgの物体に地上でかかる重力の大きさを1kgfと表します。ただしfを省略し、『1kgの力』と表現することが多くあります。

地上では物体が9.81m/S²の加速度で落下するので…

1kg

質量1kgのものを支える力の大きさは
9.81N＝1kgf≒2.2LBf

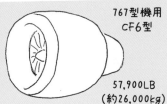

737型機用CFM56型
24,200LB
（約11,000kg）

767型機用CF6型
57,900LB
（約26,000kg）

777型機用PW4077型
77,200LB
（約35,000kg）

ちなみに…

ポンド（POUND）をなぜLBと表記するのでしょう？

重さをはかる天秤のことをラテン語で『Libra』と書くそうです。ポンドをLBと表記するのは、Libraに由来しているらしいです。

インターネット情報の受け売りです。ちがっていたらゴメンナサイ

例として、JALで使用しているエンジンのうち３種類の定格推力を上に書きましたが、同じエンジンモデルでも使用する機体の種類や機体の重量によって定格推力は若干違います。
例えば、737型機用CFM56型エンジンは国内線用では24,200LB、国際線用では27,300LBに設定されています。

定格推力＝最大離陸推力

上の見出しの通り、ジェットエンジンの定格推力は最大離陸推力とも言われます。
陸上や海上の乗りものは最高速度を出すために最大出力を必要としますが、飛行機（旅客機）は最高速度を出すために最大推力を使う必要がありません。離陸と着陸復行（着陸のやりなおし）、ウインドシアー（風向や風速の急激な変化）やダウンバースト（局所下降気流）からの脱出の際に最大推力が使われます。

揚力
推力 抗力
重力

安定した水平飛行では、揚力と重力、推力と抗力（空気抵抗）がつり合っています。
巡航中の高々度（10,000mぐらい）では空気が薄く、空気抵抗が大きい操縦系統（フラップ、スラット）や降着装置（ランディングギア）はすべて格納されているため、必要な推力はあまり大きくありません。推力を増して速度を上げようとしても、音速に近づくことで発生する衝撃波のために速度が制限されてしまいます。

では、離陸のときにエンジンがどのくらいガンバっているのかをちょっと計算してみましょう。
右に記載しているのは、ある日の高松空港からの実際の出発便に関するデータです。機種は737型機、国内線仕様、当日の天候は晴れ、風はなしという条件です。

イメージがしやすいように計算はSI単位系に変換してみます。

・乗客、貨物、燃料を含めた機体重量は
　　120,700LB→約54,750kg
・エンジン推力はエンジン2台分で
　　24,200LB×2→約215,370N
・V_2 135KNOT(ノット)→250km/H→69.5m/S
・離陸滑走中の加速度は
　　F(力)=m(質量)×a(加速度)

$$a = \frac{F}{m} = \frac{215,370N}{54,750kg} \fallingdotseq 3.9m/S^2$$

この計算には、地上滑走中の車輪の抵抗や機体の空気抵抗が入っていません。
実際にはもう少し遅いかな…ということで、加速度を3.3m/S²と見積ってみます。

JL1406　TAK HND	RTNG/FLAP TO-5
SHIP NO.　JA319J	RWY COND　DRY
B737-800/7B24K	A/I　　　　OFF
WIND　　　000/000KT(風)	FCST WT　120.7
OAT　　　011℃(気温)	

QNH　　　Q1,021(気圧)	V_1	123
RWY Length　8,200(滑走路長さ)	V_R	125
APT　　　TAK(高松空港)	V_2	135
RWY NO.　26(滑走路方向)	RQRD RWY 4369

RTNG/FLAP TO-5
　　最大離陸推力を使いフラップを5°展開
RWY COND DRY
　　滑走路面が渇いている状態
A/I OFF
　　防氷系統(ANTI-ICE SYSTEM)を使用しない
FCST WT(FORECAST WEIGHT)120.7
　　予定機体重量が120,700LB
V_1　離陸決定速度(VはVELOCITYの頭文字)
　　この速度到達前に重大な異常が発生したら、
　　離陸を中断します。単位はKNOT(ノット)
V_R　引き起こし速度(RはROTATIONの頭文字)
　　機首上げを開始できる最低安全速度
V_2　安全離陸速度
　　機体が適切に上昇できる最低安全速度

パイロットは離陸滑走中に速度計を見ながら実際に『ブイワン』『ローテート』『ブイトゥー』とコールします。

3

		V_1	V_R	V_2
速度	0m/S	63.3m/S	64.3m/S	69.5m/S
時間	0秒	19.2秒	19.5秒	21.1秒
距離	0m	608m	627m	735m

搭乗された便は何秒で飛びましたか？条件によって変わります。興味があったらはかってみて下さい。

この計算は簡易的で実際とは多少ズレもありますが、イメージは掴んでいただけると思います。
旅客、貨物、燃料を満載すると加速が遅くなりますが、エンジンがキチンと定格推力を発揮すれば定められた滑走距離内でV_1に到達できるので、仮に離陸を中止した場合でも残りの滑走路内で安全に停止することができます。
逆に滑走路長に余裕がある空港で、機体重量が軽い場合はエンジンの負担を軽減するために離陸推力を低く設定することもあります。

定格推力＝最大離陸推力はエンジンに大きく負担がかかるので、連続使用には制限があります。
多くのエンジンモデルで5分間がタイムリミットとして設定されています。実運航では離陸して1～2分(通常高度1,500FT(約460m))で推力を上昇推力まで下げます。エンジン音を注意して聞いていると変化がわかります。

1 初期のジェットエンジン

空気入口　　燃焼室　　空気出口

コンプレッサー　　タービン

ジェット時代の幕を開けたダグラス（現ボーイング）DC-8は、日本航空株式会社で1960年から27年間にわたり、-30、-50、-60の各シリーズで計60機（リース機を含む）が使用されました。

写真はその1号機の「FUJI号（JA8001）」で使用されたエンジン（JT4A-9）のカットモデルです。

2 各機の使用エンジン

1.55m

2.36m

3.00m

各機の使用エンジン（代表的な値）

	ボーイング737-800	ボーイング767-300、-300ER	エアバスA350-900
メーカー	CFMインターナショナル（GEアビエーションとフランスのスネクマの合弁事業）	GE（General Electoric）アビエーション	ロールス＆ロイス
型式	CFM56-7B	CF6-80C2	トレントxWB-84
直径	61.0インチ（1.55m）ファン直径	93インチ（2.36m）最大直径	118インチ（3.00m）ファン直径
推力	24,200ポンド	52,500〜63,500ポンド	84,200ポンド
バイパス比	5.3	5〜5.31	9.6
圧縮比	32.8	27.1-31.8	50.0
乾燥重量	5,216ポンド（2,370kg）	9,860ポンド（4,481kg）	16,043ポンド（7,277kg）

番外　エンジンの排気口

ボーイング737-800

エアバスA350-900

ボーイング767-300ER用
CF6-80C2
（上・右）

3　③V₁、Vʀ、V₂（離陸時の速度）

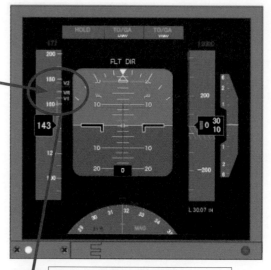

MCDU
(Multipurpose Control &
Display Unit)

PFD (Primary Flight Display)

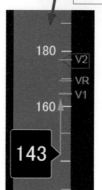

> 離陸速度は、機上コンピューターに
> 離陸重量を入力すると自動的に算
> 出され計器に表示されます。
> （中村寛治著：空を飛ぶはなし
> 日本航空技術協会）

ボーイング777-300ER

（第15章以上）

第 16 章

エンジン
（その２）

ファンブレードは高速で回転し、かつ高速で空気中を移動するため、根本から先端にかけてねじられ、かつ先端が後退した形状をしています。写真のボーイング777用GE90-115Bエンジンのファンブレードは、前縁部にチタンカバーがついた炭素繊維強化プラスチック（CFRP）によってさらに3次元的な曲線となっています。ニューヨーク近代美術館はこのファンブレードを芸術品として展示しました。

この章は前章に引き続きジェットエンジンについての解説です。
ジェットエンジン（航空機用ガスタービンエンジン）が開発された当初の基本的な構造から始めて、
今日の大型旅客機で必要とされる大きな推力を効率的に発生させる工夫を見てみましょう。
エンジンがかわいらしいポッチャリ体型である理由もわかります。

〈初期のジェットエンジン（ターボジェットエンジン）〉

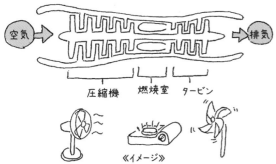

空気　➡　　　　　　　　　　➡　排気

圧縮機　　燃焼室　　タービン

《イメージ》

左の図は初期のジェットエンジンの基本的な概略図
です。
前号の解説の通り、ジェットエンジンは高速の排気
ガスを後方へ噴射することによって反作用による推力を
得るエンジンです。燃焼室で燃料を燃やして高温
高圧のガスを発生させ、ガスを噴射する際にタービン
を通過させることによって回転軸を回し、同軸上の
圧縮機を回して燃焼に必要な大量の空気を燃焼
室へ送り込みます。

〈推力を大きくするための工夫〉

① 圧縮機の多段化

ジェットエンジン（ガスタービンエンジン）に
限らず燃料を燃やして出力を得るエンジン
は、燃焼室に入る空気の圧力が高ければ
高いほど発生する熱エネルギーが高くなりま
す。きちんと理解するためには難しい熱力
学の計算式を読み解く必要がありますが
（私にもわかりません…）、イメージ的には走
り幅飛びのような感じでしょうか。
（助走が速いほど同じ高さまで飛んだとして
も跳躍距離が伸びる…みたいな…）

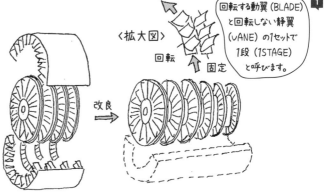

〈拡大図〉

回転　　　　固定

改良　➡

1 回転する動翼（BLADE）
と回転しない静翼
（VANE）の1セットで
1段（1STAGE）
と呼びます。

上図のような軸流式の圧縮機は段数を増やすことによっ
て、比較的容易に高い圧力を作り出すことができるため、
改良が進むにつれて段数が増えていきました。

他に遠心式圧縮機という方式がありますが、
そちらは第13章 APU 編を御覧ください

② 回転軸の多重化 2

圧縮機の段数を多くしていくと、前方の段
と後方の段では適する回転数にズレが生じ
てきます。
圧力が低い外気を取り込む前方の段は比
較的低い回転数が適していますが、「これ
でもか!!」と空気を後方へ送って圧力を高め
る後方の段では、高速回転が適していま
す。
そこで右図のように回転軸を2重にして後段
の高圧圧縮機を高圧タービンで回し、前
段の低圧圧縮機を低圧タービンで回す工
夫が考えられました。

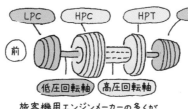

LPC　　HPC　　　HPT　　LPT

前

低圧回転軸　　高圧回転軸

旅客機用エンジンメーカーの多くが
2 SPOOL（2重軸）を採用しています。

RR（ロールスロイス）は3 SPOOL
（3重軸）を採用しています。

LPC
LOW PRESSURE COMPRESSOR
低圧圧縮機

HPC
HIGH PRESSURE COMPRESSOR
高圧圧縮機

HPT
HIGH PRESSURE TURBINE
高圧タービン

LPT
LOW PRESSURE TURBINE
低圧タービン

〈燃費を改善するための工夫〉

前章の推力の説明で「エンジンが空気を押し出すと、エンジンは空気に押される」と書きました。もう少し正確には、エンジンが吸い込んだ空気を加速して押し出すと、エンジンはその反作用で空気を加速するのに必要な力と同じ力で押されるということになります。

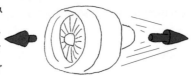

エンジンは空気に同じ力で押される（反作用）　…　エンジンが空気を押す力（作用）

このあと数式を使ってエンジンの推進効率を考えてみましょう。正確には複雑な熱力学の計算式を理解する必要がありますが、ここでは中学校レベルの物理で習う計算式でざっくりと解説してみるのでおつきあい下さい。

まずは中学校の物理のおさらいです

加速度 a(m/s²)　質量 M(kg)　加える力 F(N)

質量Mの物体に一方から力Fを加えたとき、生じる加速度aとの間には次の関係があります。

$$F = M \times a$$

速度 V(m/s)　質量 M(kg)

質量Mの物体が力を加えられずに一定の速度Vで移動しているとき、物体が持っている運動エネルギーEは次の式で表されます。

$$E = \frac{1}{2} \times M \times V^2$$

以上をふまえて

空気 → 加速 → 排気

地上で静止している飛行機のエンジンが運転しているとき、空気がエンジン内を通過する時間をΔt（秒）、Δt秒間にエンジンに吸い込まれる空気の質量がM(kg)、排気ガス速度をV(m/s) とすると、

$$F（エンジンの推力）=空気を加速するのに必要な力$$

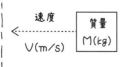

$$= Ma$$
$$= M \frac{V}{\Delta t}$$

> この式から、推力は吸い込む空気の量と排気ガスの速度に比例することがわかります。

一方で、燃料を燃やして得られる熱エネルギーはすべてが推力に利用されるわけではなく、残念ながら、かなりの量が排気ガスと共に大気中に放出されてしまいます。

放出される排気ガスは熱エネルギーと運動エネルギーを持って逃げていきますが、そのうちの運動エネルギーは$E = \frac{1}{2}MV^2$となります。

①同じ推力Fを得るためにMを半分にしてVを2倍にすると逃げていく運動エネルギーは

$$E' = \frac{1}{2} \times \left(\frac{1}{2}M\right) \times (2V)^2 = MV^2$$

②同じ推力Fを得るためにMを2倍にしてVを半分にすると逃げていく運動エネルギーは

$$E'' = \frac{1}{2} \times (2M) \times \left(\frac{1}{2}V\right)^2 = \frac{1}{4}MV^2$$

> この式から、たくさんの空気をゆっくりと押し出す方がムダに捨ててしまうエネルギーが少ない。つまり燃料の消費が少ないことがわかります。

<ターボファンエンジン〉　たくさんの空気をゆっくりと押し出すために考え出されたのが、エンジンの圧縮機の前に
ファン **3** をつけることでした。

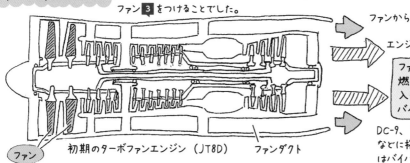

ファンから押し出された空気（低速）

エンジンの排気ガス（高速）

ファンダクトを通る空気と
燃焼のために圧縮機に
入る空気の量の比率を
バイパス比といいます

初期のターボファンエンジン（JT8D）　　ファンダクト

ファン

DC-9、727、初期の 737 型機
などに搭載された JT8D エンジン
はバイパス比が1程度でした。

ファンがないターボジェットエンジンでは、タービンの仕事は圧縮機を回すだけでしたが、ターボファンエンジンでは大きなファンを回す駆動力が必要になります。

タービンの駆動力を増やすためには、より高温で高圧の燃焼ガスから効率よくエネルギーを回収する必要がありますが、初期のターボファンエンジンが登場した時期（1960 年代前半）ではまだ技術的に難しく、バイパス比を大きくすることができませんでした。

タービンに使われる耐熱合金の開発やタービンの冷却方法 **4** の改善などが進むと、バイパス比が5以上の大きなファンを装備したエンジンが登場し、ボーイング 747 型機（ジャンボジェット）、ダグラス DC-10 型機、ロッキード L-1011 型機（トライスター）、エアバス A300 型機などに搭載され、それまでの旅客機に比べ燃費が大きく改善されました。

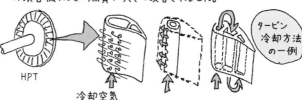

HPT

冷却空気

タービン
冷却方法
の一例

<その他の高バイパス比のメリット〉

ターボジェット/低バイパス比エンジン

排気ガスと周囲の空気の速度差に
よって空気が振動します。

高バイパス比エンジン

ファンから押し出された
空気で速度差が小さく
なり、空気の振動が
減少します。

ジェットエンジンを搭載した飛行機には「騒音」という問題が生じます。上記のJT8Dエンジンは私が入社した昭和の頃現役バリバリでしたが、騒音も「バリバリ…」とおなかが震えるぐらい。今思い出すとそれはもう凄まじいものでした。

ジェットエンジンの騒音は、高速で噴射される排気ガスと周囲の空気が接する境界で空気が振動することによって起こります。高バイパス比のエンジンでは、高速で噴射される排気ガスを低速で押し出されるファンの空気でやさしく包み込むので、騒音が著しく低減されます。**5**

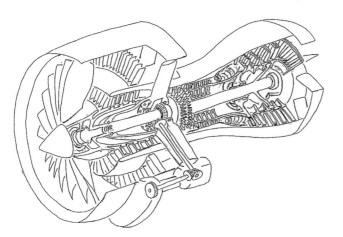

737 型機に搭載されている
CFM56-7B 型エンジン

・離陸最大推力
　国内線仕様　24,200LB
　国際線仕様　27,300LB
・重量約　2,400kg
・バイパス比 5.1：1

第15章を
見てね

エンジン（その2）

1 動翼と静翼

動翼の一例
（ブレード）
ディスクに付き
回転

JT9Dエンジン（この写真のみ）

P157 4 に拡大図あります

静翼の一例
（ステーターベーン）
ケースに固定

2 軸流式圧縮機の回転軸の多重化

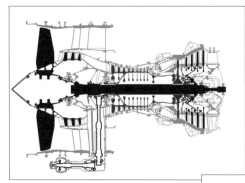

CFM56エンジン（左）
圧縮機及びタービンを回転する軸が
低圧用（青）、高圧用（赤）の2重軸
となっています。
TRENT900エンジン（下）
圧縮機及びタービンを回転する軸が
低圧用（青）、中圧（黄）、高圧用（赤）の3重軸
となっています。

どちらもファンは低圧用の軸につながります。

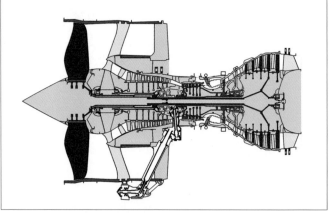

3　ファン

エアバス A350-900用
TRENT xwB-84

4　タービンブレード、ステーターの冷却方法

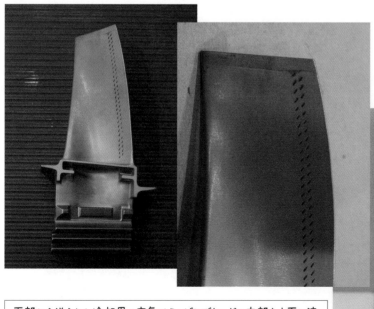

下部から送られた冷却用の空気はタービンブレードの内部を上下に流
れ、後縁の小穴から外部に排除されます。

ブレードの表面を研磨すると内部の空気の流路を見ることができます(右)。

5 高バイパス比エンジンの騒音低減（シェブロン ノズル）

ボーイング787-8（上下とも）

シェブロン ノズルは、エンジン中心部の高速の排気と周囲のファンからの低速の排気を混ざり合わせることによる騒音低減効果があります。

（第16章以上）

第 **17** 章

エンジン
（その3）

写真はボーイング777-300ERのコックピットです。機体は全長73.9m・全幅64.8mと巨大ですが、人間の手の長さはそれほどかわらないため、広さは従来の旅客機とさほど変わりません。色調は767から踏襲して茶系ですが、787ではかってのグレー系に戻りました。エンジンの情報は中央のディスプレイに集約して表示されます。その右に脚の形をしたギヤレバーがあります。

エンジン（その３）

第 16 章に引き続きエンジンの解説です。
直接測定できないエンジンの推力をどのようにコントロールするのか、基本を理解するために古いエンジンから見ていきましょう。（第 15 章＆第 16 章も参照して下さい）

限られた滑走路の長さで離陸するためには、「エンジンが必要な推力をきちんと発生している」ということが非常に大切ですが、飛行機の構造上、はかりのような計測器で推力を直接測ることは、なかなか困難です。
そこで推力と相関関係があり、かつ容易に計測できる指標を使って、間接的に推力を計測するという方法が採用されています。

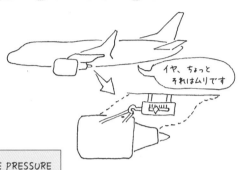

イヤ、ちょっと
それはムリです

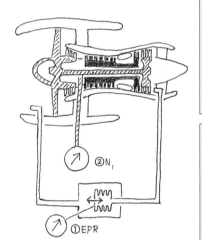

②N₁

①EPR

①エンジン圧力比（ENGINE PRESSURE RATIO）略して EPR（イーパー）と呼びます。
EPR は、エンジンの空気取入口に入る空気とタービン出口の排気をそれぞれ正面から捉えた圧力の比です。

$$EPR = \frac{出口圧力}{入口圧力}$$

②低圧軸回転数 N₁
N₁ は高バイパス比エンジンで推力の大部分を発生するファンがつながっている低圧軸の回転数です。
ちなみに、N は NUMBER OF ROTATION（回転数）の頭文字で低圧軸が 1、高圧軸が 2 の添字で表記されます。

この 2 つの数値は、推力と比例に近い関係がありますが、それぞれの数値がいくつあれば必要な推力が発生しているかを計算するのは、なかなか面倒です。
考え方を理解するために、機体が停止している時と前進している時に分けて考えてみましょう。

・機体が停止しているとき

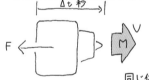

Δ𝑡 秒

F ← M → V

エンジンに押し出される空気の質量を M、排気速度を V、エンジンの入口から出口まで質量 M の空気が通過する時間を Δ𝑡 とすると、推力 F は次の式で表されます。

$$F = M \cdot a = M\frac{V}{\Delta t} \quad (概算です)$$

推力 F は押し出す空気の質量 M に比例します。
同じ体積あたりの質量は密度によって変化するので、
空気が濃ければ質量が多く、薄ければ質量が少なくなります。
例えば、北欧の寒冷地で海岸沿いの標高が低い空港から離陸するときは、低い EPR や N₁ で必要な推力が発生するのに比べて、赤道直下で暑く、かつ山の上にある標高が高い空港から離陸するときは、高い EPR や N₁ が必要になります。

高度・標高	低い	高い
気圧	高い	低い
空気	濃い	薄い

温度	低い	高い
空気	濃い	薄い

・機体が前進しているとき

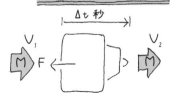

Δ𝑡 秒

V₁ → M → F ← V₂ → M

機体が V₁ で前進しているとき、エンジンが発生する推力は質量 M の空気を Δ𝑡 秒間に前進速度 V₁ から排気速度 V₂ まで加速するのに必要な力と同じになります。

$$F = M \cdot a = M \cdot \frac{V_2 - V_1}{\Delta t}$$

つまり、排気速度が一定のまま機体の速度が増えると、推力が減少することがわかります。

このとき推力をEPRで計測している場合

$$EPR = \frac{出口圧力}{入口圧力}$$

なので、機体の速度の増加が入口圧力の増加につながり、EPRが低下します。

→ 推力の低下が推力の指標であるEPRの低下につながり、わかりやすい関係にあります。

一方、推力をN_1で計測している場合

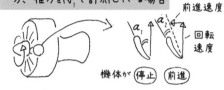

前進速度 / 回転速度 / 機体が 停止 前進

機体が停止しているときと比較して前進することによるファンブレードの空気抵抗の減少により回転数が増加します。

 → 推力が低下しているにもかかわらず、推力の指標であるN_1は増加するというややこしい現象が起こります。

さらに機速が増加していくと

巡航速度ほどの高速では、エンジンに流入する空気は強烈な向かい風になり、ギューッと押されて圧縮された状態になります（ラム圧といいます）。

ギューッ

空気が圧縮されると圧力が高く、温度も高くなります。前述の通り、気圧的には空気は濃く、温度的には空気は薄くなるという、さらにややこしいことが起こります。

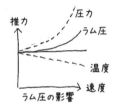
ラム圧の影響

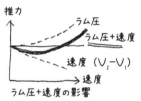
ラム圧+速度の影響

以上のように、必要な推力を得ようとするときに指標となるEPRやN_1がいくつあれば良いのかは、外気の状態によって非常に複雑に変化します。

また、ラム圧による影響は音速を基準としたMACH NUMBER（マッハ数）と相関関係があります。

以上を踏まえて

ジェットエンジンの推力設定がどのように行われるのか、古いエンジンから順に見てみましょう。

まずは私が初めて資格を取得したDC-9-41型機のJT8D-15という型式のエンジンです。

1960年代 / 低バイパス比 EPRコントロール

最大離陸推力に対応するEPRの値はRAT/EPR計から読みとることができますが、この値には気圧の情報が考慮されていないので、パイロットは外気圧と手元の紙面上の表を元に補正したEPRをEPR計に手動でセットします。パイロットは必要なEPRの値までT/Lを自分の手で進めて推力をセットします。

機速の増加による推力の低下は前述の通りEPRの低下につながるので、パイロットは推力を維持するために、T/Lを少し進めて調整する必要がありますが、離陸中は機体のコントロールも忙しいため、パイロットの負担は大きかったと思います。

第15章に記載の通り、最大離陸推力は5分間までの使用制限があるので、離陸後パイロットは手動でT/Lを上昇推力まで戻します。

基本的にはRATのみに応じてEPRを決めるという、今から考えると少々アバウトなシステムでした。

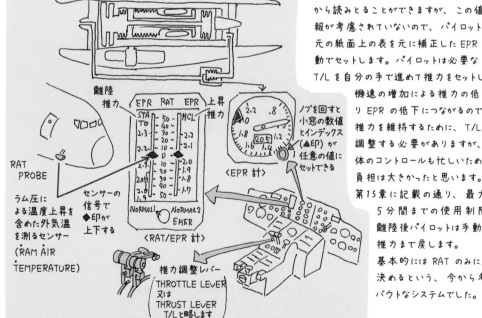

離陸推力 / 上昇推力

ノブを回すと小窓の数値とインデックス（▲印）が任意の値にセットできる

〈EPR計〉

RAT PROBE

ラム圧による温度上昇を含めた外気温を測るセンサー（RAM AIR TEMPERATURE）

センサーの信号で◆印が上下する

〈RAT/EPR計〉

推力調整レバー THROTTLE LEVER 又は THRUST LEVER T/Lと略します

A300B2/B4 型機は、CF6-50C2R という型式のエンジンが装備されていました。
（高バイパス比　N_1 コントロール）

1970年代

TAT
PROBE

PITOT
TUBE

STATIC
PORT

全温　　全圧　　静圧

ADC

気温 気圧 対気速度 マッハ数

N_1 LIMIT
COMPUTER

40　60　80　100

20　　　　　120

N_1

0 0 0

N_1

⟨N_1計⟩

N_1 LIMIT　　TAT

111.9　　23

TO　FLx TO　GA

MCT　CL　CR

FLx TO TEMP　TEST

4 5 1

⟨THRUST RATING PANEL⟩

TAT PROBE: TOTAL AIR
TEMPERATURE(全温)を測る(RATと同じ)

PITOT TUBE: 全圧(気流を正面から捉えた圧力)を測る

STATIC PORT: 静圧(その地点の大気圧)を測る

TO: TAKE OFF(離陸)
GA: GO AROUND(着陸履行)
MCT: MAx CONTINUOUS
THRUST(最大連続出力)
CL: CLIMB(上昇)
CR: CRUISE(巡航)
FLx TO: FLx TAKE OFF
(離陸推力低減)

外気の状態を感知する各センサーの信号が、それらを処理するコンピューター（AIR DATA COMPUTER）に送られます。

ADCは推力の計算に必要な気温・気圧、対気速度、マッハ数を計算して、定格推力に必要な N_1 の値を計算する N_1 LIMIT COMPUTERへ送ります。

パイロットが離陸、上昇、巡航、最大連続推力などをボタンによって選択すると N_1 LIMIT COMPUTERは必要な N_1 の値を計算し、デジタル表示するとともに N_1 を指示する計器上でインデックス（△印）を自動的に動かして表示してくれます。

先に述べたように N_1 コントロールでは速度によって必要な N_1 が複雑に変化するという特徴があるため、コンピューターによってリアルタイムに必要な N_1 を計算する技術によって、はじめて N_1 コントロールが可能となりました。

A300型機ではT/Lを自動的に動かすオートスロットルシステムも装備されていたので、パイロットの負担が大きく軽減されました。

DC-9のJT8DエンジンやA300のCF6-50エンジンはまだ電子制御式のエンジンではなかったので、エンジンの燃料制御はすべて機械式でした（非常に精密で、それこそ芸術的な機械でした。）。

基本的には、パイロットが操縦する又はオートスロットルシステムが動かすT/Lの位置に応じて燃料流量を増減していくのですが、これまで述べてきたように、必要な推力に応じたEPRや N_1 は外気の状態によって変化し、必要な燃料流量も変化するため、例えば最大離陸推力を出すT/Lの位置はその時々によって変化することになります。またT/Lの位置を進めすぎると、いとも簡単に最大離力推力を超えてエンジンを傷めることもありました。

また機械式であるがゆえに、個体差がどうしても発生するため、エンジン交換やFCUの交換をしたときには、左右のT/L位置に差が出ないように微調整をしなければなりませんでした。

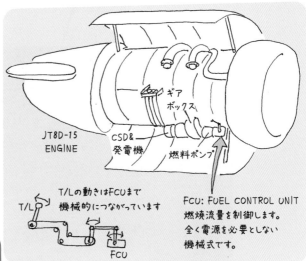

JT8D-15
ENGINE

ギア
ボックス

CSD&
発電機

燃料ポンプ

T/L

T/Lの動きはFCUまで
機械的につながっています

FCU

FCU: FUEL CONTROL UNIT
燃焼流量を制御します。
全く電源を必要としない
機械式です。

ENGINE TRIM RUN UP という高出力を伴う試運転作業で、難しいけれどやりがいのある作業でした。

番外 ジェット旅客機の操縦室の変化

ボーイング747-200操縦席

ボーイング787操縦席

エアバスA350-900操縦席

おまけ

気流を味方に

　ボーイング787や737のエンジンカバーの機体側には小さなヒレのような突起がついています。これはチェインやフィンといい、大きなエンジンの周りをまわった空気の流れを整流し、スムーズに主翼に流すためのもの。気流を味方にすることで、静かで安定したフライトをつくります。

（第17章以上）

第 **18** 章

エンジン
（その４）

最近の旅客機は、エンジンのカウリング（カバー）を開けると
FADECと呼ばれる電子制御機器が目につきます。FADECはエ
ンジンの頭脳として、エンジン各部とシグナルをやり取りし、始動、
定常運転、加減速、停止のすべての状態でエンジンを最適
に運転します。
写真のエアバスA350用TRENTエンジンのFADECは、知能の
高い生命体のように見える、とは言いすぎでしょうか。

第18章 エンジン（その4）

この章と次の章の2回に分けて、エンジンの電子制御システムについて解説します。機械制御式エンジンでは、外気の状態や出力レバーの位置をすべて機械的な信号として処理し燃料流量を調整していましたが、技術の進歩によって電子制御式に変わり、多くのメリットが得られるようになりました。理解を深めるために、ぜひ第15〜第17章エンジン編その1〜3も合わせて御覧下さい。

目的　エンジンの電子制御システムは FADEC **1**（現在ではFULL AUTHORITY DIGITAL ENGINE CONTROL。少し前までは FULL AUTHORITY DIGITAL ELECTRONIC CONTROL）という名称で呼ばれています。FULL AUTHORITY とは意訳すれば「全部まかせておけ」という感じでしょうか。FADECの目的は、エンジンの運転を適切に安全に電子制御することにあります。

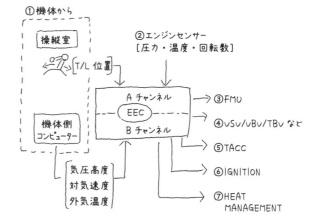

構成　エンジンメーカーや型式によって若干異なりますが、FADEC の構成は概ね右図のようになっています。システムの中心は EEC（ELECTRONIC ENGINE CONTROL）というコンピューターです。内部は2つのチャンネルに分かれていて、一方がエンジンを制御中の時は、もう一方が監視役をしています。通常はエンジンを始動するごとに役目が入れ替わります。

①機体からの入力信号は、操縦室のエンジン出力レバー **2**（THRUST LEVER：略して T/L）の位置と前章で解説した推力の計算に必要な機体の気圧高度、対気速度、外気温度で、すべて電気信号を使って伝えられます。
②エンジン各部のセンサーは、エンジン内部を通過する空気が圧縮から排気に至るまでの過程で変化する温度と圧力をEECへ伝えます。N_1とN_2の回転数も入力されます。

エンジンの運転を制御するための出力先は、
③燃料流量を調整する FMU（FUEL METERING UNIT）
④圧縮機を制御して失速を防止するための
　VSV（VARIABLE STATOR VANE）
　VBV（VARIABLE BLEED VALVE）
　TBV（TRANSIENT BLEED VALVE）など
⑤タービンケースの隙間を調整してエコする
　TACC（TURBINE ACTIVE CLEARANCE CONTROL）
⑥点火系統（IGNITION CONTROL SYSTEM）
⑦オイルと燃料の温度管理（HEAT MANAGEMENT）
　などですが、詳しくは FADEC が持つ機能ごとにそれぞれ解説します。

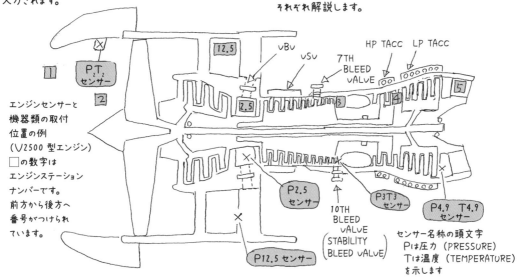

エンジンセンサーと機器類の取付位置の例（V2500 型エンジン）□の数字はエンジンステーションナンバーです。前方から後方へ番号がつけられています。

センサー名称の頭文字 Pは圧力（PRESSURE）Tは温度（TEMPERATURE）を示します

機能 FADEC の機能は大きく4つに分類できます。
（筆者の独断なので教科書的にはズレているかも）
Ⓐ 決める Ⓑ 安定と保護 Ⓒ エコ Ⓓ 知らせる
ではひとつずつ。

Ⓐ 外気の状態にかかわらず、定められた T/L 位置で
定められた推力が発生するように燃料流量を計算し
調整する。

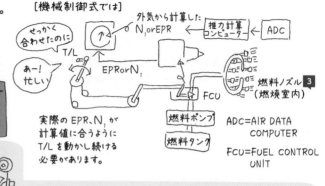

[機械制御式では]

実際の EPR、N₁ が
計算値に合うように
T/L を動かし続ける
必要があります。

ADC=AIR DATA COMPUTER

FCU=FUEL CONTROL UNIT

定められた推力に対応する
EPRやN₁は前章の通り外気
の状態すなわち気温、気圧・
速度、ラム圧によって複雑に
変化します。
エンジン推力設定のキモは、
必要とする推力に対応する
EPRやN₁に実際の運転状
態を合わせるということですが、機械制御式のエン
ジンでは最大離陸推力を発生する T/L の位置が時
と場所により異なりますし、運航中に刻々と変化す
る外気の状態に合わせて、常にT/Lを動かし続ける
必要があります。
それに対して、FADEC は定められた T/L 位置におい
て、常に定められた推力が維持されるようにEECが
FMUを電気的にコントロールして、燃料流量を調整
してくれます。離陸時にT/Lを一番前に進めれば、
気温、気圧に関わりなく最大離陸推力を発生し、
加速によって減少する推力もT/Lを動かすことなく（そ
もそも一番前ですが）自動的に補正してくれるという、
非常にすばらしい機能を持っています。

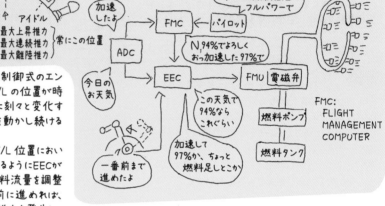

[FADEC では]

FMC:
FLIGHT
MANAGEMENT
COMPUTER

Ⓑ 運転の安定性を高めてエンジンを
保護する

エンジンの始動から加速・減速など運転
全般にわたって失速や失火（火事ではなくて火が消えること）、排気
ガス温度超過を防ぎ、なめらかで快適な運転を保つためにFADEC
が制御する COMPRESSOR CONTROL、FLAME OUT PROTECTION、
START PROTECTION を解説します。

失速：6章参照
翼の上面の気流がはがれること
正常　失速

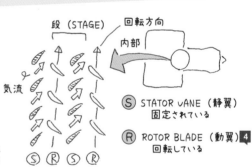

段（STAGE）　回転方向
内部
気流
Ⓢ STATOR VANE（静翼）固定されている
Ⓡ ROTOR BLADE（動翼）**4**
回転している

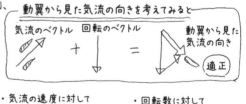

動翼から見た気流の向きを考えてみると
気流のベクトル ＋ 回転のベクトル ＝ 動翼から見た気流の向き　適正

・気流の速度に対して回転数が速すぎると
・回転数に対して気流の速度が遅すぎると
失速　失速

<COMPRESSOR CONTROL （圧縮機制御）>
第6章で主翼の失速について解説しましたが、エンジンの内部
においても回転する動翼の翼面から気流がはがれてしまう失速
が発生することがあります。失速は大きな破裂音と振動を伴い、
出力の低下、排気温度の上昇を引き起こし、エンジンを破損
させることもあります。原因は圧縮機内を流れる気流の速度と
回転数のミスマッチで、第16章で紹介した回転軸の多重化は
失速防止のためでもありますが、FADEC はセンサーからの信号
をもとに失速防止のために圧縮機をコントロールします。
エンジンメーカーや型式によって違いがありますが、多くのエンジン
で採用されている3つの方法（VSV、VBV、TBV）を紹介します。

<VSV **5**: VARIABLE STATOR VANE（可変静翼）>

第16章でエンジン内部の動翼（ROTOR BLADE）
と静翼（STATOR VANE）を一組で段（STAGE）
と呼ぶことを紹介しました。

静翼の目的は、次の動翼に向かう気流を整えるこ
とですが、先に述べたように動翼に当たる気流の角
度が悪いと失速を起こします。

そこで失速を起こしやすい高圧圧縮機の前から数
段を静翼の角度が変えられる可変式としています。

FADEC は N_1、N_2 回転数、高圧圧縮機入口
温度、圧力などをもとに、ざっくり言えば低出力低
回転時は CLOSE 側へ、高出力高回転時には
OPEN 側へ VSV を制御して、高圧圧縮機の失速
を防止します。

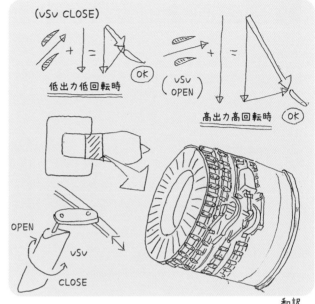

（VSV CLOSE）

低出力低回転時　OK

（VSV OPEN）

高出力高回転時　OK

OPEN

VSV

CLOSE

和訳
しにくい…

<VBV：VARIABLE BLEED VALVE（可変抽気弁）>

第16章でエンジンの燃費向上のために大きなファン
ブレードを装備していることを解説しましたが、欠点
としてN_1、つまり低圧軸の慣性が大きいという点が
挙げられます。

離陸の中断などでエンジンを高出力から急激に低
出力へと変化させた場合、慣性の小さい N_2（高圧
軸）は T/L の動きに追従してすばやく回転数が低
下しますが、慣性の大きい N_1 はゆっくりと回転数が
低下していきます。すると低圧圧縮機内部では空気
の渋滞によって気流の速度が低下し、高回転のまま
の動翼が失速を起こします。

FADEC は、この失速を防ぐために N_1 と N_2 の回転数
の差と、低圧圧縮機出口圧力などをセンサーからの
信号で監視し、出力の急減時に低圧圧縮機出
口から空気を外へ逃がす抽気弁（BLEED VALVE）
を開いて低圧圧縮機内部の気流の速度を維持し
ます。

<TBV：TRANSIENT BLEED VALVE（一時的抽気弁）>

エンジンメーカーによっては STABILITY BLEED VALVE など
名称が違っていたりしますが、目的は同じです。

VBV が急減速時の失速防止であるのに対して、TBVは急
加速時の失速防止ですが、しくみは同じようなものです。
着陸のやり直しや、機体がウインドシアー（風向や風速の
上下・水平方向の急激な変化）やダウンバースト（局所
下降気流）に遭遇した場合に、エンジン出力を急激に
増加させますが、慣性によりN_1はN_2より回転の上昇が送
れます。空気の流入速度の増加も遅れるため、先行して
回転数が増加する高圧圧縮機内で失速が起こりやすくな
ります。

FADECはN_2回転数と高圧圧縮機入口圧力などをモニター
し、TBV を開いて空気の出口を拡げ、気流の速度を増加
させて失速を防ぎます。

TBV にはもう1つ役目があります。エンジンスタート時に小さな
エンジンスターターを助けるため、N_2回転数がある程度上がる
まで、TBVが開いて圧縮機の負荷を下げ回転数の上昇を
助けてくれます。

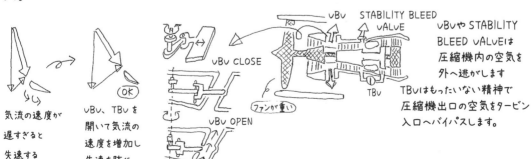

気流の速度が
遅すぎると
失速する

VBV、TBV を
開いて気流の
速度を増加し
失速を防ぐ

VBV CLOSE

VBV OPEN

ファンが重い

VBV　STABILITY BLEED
VALVE

TBV

VBVや STABILITY
BLEED VALVEは
圧縮機内の空気を
外へ逃がします
TBVはもったいない精神で
圧縮機出口の空気をタービン
入口へバイパスします。

1 FADEC (Full Authority Digital Engine Control)

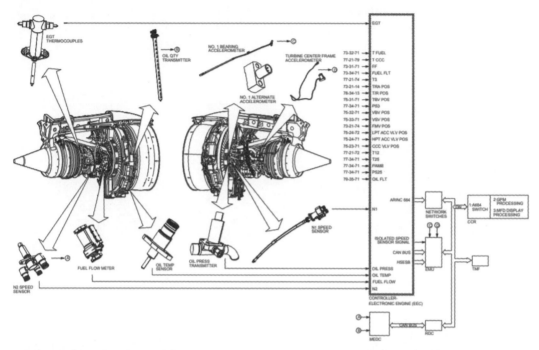

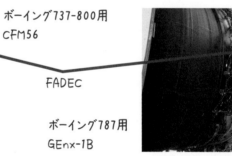

ボーイング737-800用
CFM56

FADEC

ボーイング787用
GEnx-1B

2 T/L (Throttle Lever : スロットル レバー)

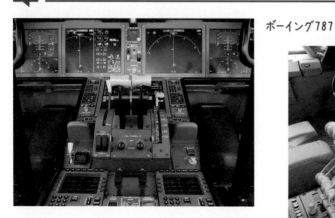

ボーイング787

ボーイング747-200

3 燃料ノズル

エンジン後　　　　　　　　　　　　　　　　　　　　　　　エンジン前

ボーイング
737-800用
CFM56-7B

4 Stator Vane（ステーターベーン）とRotor Blade（ローターブレード）

ボーイング747-200用　JT-9D

Stator Vane（静翼）
ケーシングに固定

Rotor Blade（動翼）
回転軸に固定

5 VSV（Variable Stator Vane：バリアブル ステーター ベーン）

4段

6段

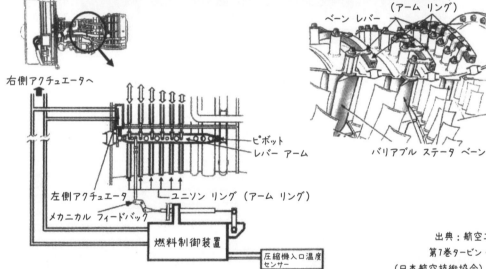

右側アクチュエータへ

ピボット
レバー アーム

左側アクチュエータ
メカニカル フィードバック
ユニソン リング（アーム リング）

燃料制御装置

圧縮機入口温度
センサー

ユニソン リング
（アーム リング）

ベーン レバー

バリアブル ステータ ベーン

出典：航空工学講座
第7巻タービン・エンジン
（日本航空技術協会）より作成

バリアブル ステータの構成例

内側から見たステーターベーン

（第18章以上）

第 19 章

エンジン
（その5）

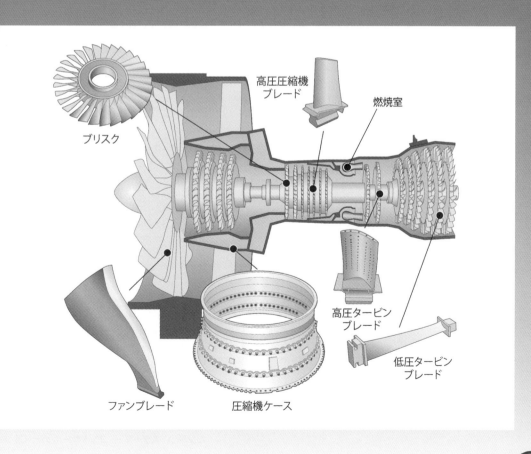

ブリスク

高圧圧縮機
ブレード

燃焼室

高圧タービン
ブレード

低圧タービン
ブレード

ファンブレード

圧縮機ケース

タービンエンジンの基本的な構成です。ブリスクとは、固体材料からの削り出しや溶接などにより、ブレードとディスクを一体化した構造をいいます。ファンブレードの大型化により、経済的で高出力な高バイパス ターボファン エンジンが出現しました。さらにファンの軸部にギアをいれて回転数を最適化し、より燃費効率のよいギアード ファン エンジンが誕生しました。

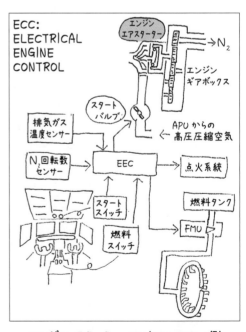

エンジン スターター コントロールの一例

第18章に引き続きFADECの機能について解説します。
4つに分類したFADECの機能（Ⓐ決めるⒷ安定と
保護ⒸエコⒹ知らせる）について説明していますが、
前章で途中となったⒷ安定と保護の続きから始めます。
ぜひエンジン編（その1〜4）も合わせて御覧下さい。

Ⓑ 運転の安定性を高めてエンジンを保護する…の続き

＜FLAME OUT PROTECTION（失火防止）＞

ジェットエンジンは連続燃焼をしているので、燃料に点火する
のは通常始動時のみです（ガスコンロと同じ）。

運転中のエンジンの燃焼が意図せず停止することを失火
（FLAME OUT）といいます。FADECはセンサーによって燃焼室
に入る空気の量を常にモニターし、安定した燃焼に適した空
気と燃料の比率を保つように燃料流量をコントロールしています。
とはいえ、さまざまな気象状況や運転の状態によっては失火が
起こりやすくなることがあります。

FADECは失火の可能性が高くなる、または失火の徴候を検知
すると自動的に点火系統（IGNITION SYSTEM）を作動させて、
失火を防止したり、失火からの回復を図ってくれます。

具体的には、降雨降雪時や雲中飛行などでエ
ンジンの防氷系統（第8章参照）を作動させて
いるとき、圧縮機の失速（第18章参照）が発
生したとき、排気ガス温度が低下したり、N_2回転
数がFADECのコマンドより低下したときなどです。
エンジンの運転が正常で気象に問題がなくても念
のための失火防止として、離陸・着陸時に自動
的に点火系統を作動させる機種もあります。

昔の飛行機は、このような点火系統の作動も
パイロットや航空機関士が状況判断して自分で
操作する必要がありましたが、FADECのオート
コントロールによってパイロットの負担軽減につな
がっています。

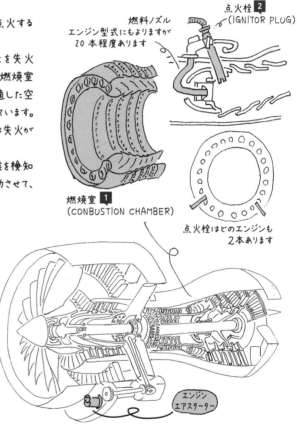

燃料ノズル
エンジン型式にもよりますが
20本程度あります

点火栓 2
（IGNITOR PLUG）

燃焼室 1
（CONBUSTION CHAMBER）

点火栓はどのエンジンも
2本あります

エンジン
エアスターター

トリビアの下：エンジン スターター コントロール参照

＜ENGINE START PROTECTION（スタート時のエンジン保護）＞

エンジンスタート時は燃焼室へ流入する空気量が少ないため、燃焼が不安定になりやすく、かつタービンの冷却空気が充
分に得られないため、排気ガス温度の制限が通常運転時よりも低く設定されています。

FADECはエンジンスタート時に着火後の排気ガス温度とその上昇率をモニターし、制限値を越えそうな場合は、燃料を止
めた後の温度上昇分までを見越してタイミング良く燃料供給を止めるとともに、点火系も停止して、タービンが過度の熱
によってダメージを受けるのを防いでくれます（HOT START PROTECTION）。

また着火後に回転上昇率が遅いとき（HUNG START）、燃料供給後に一定時間以内に点火しないとき（NO LIGHT
UP）も、その後の排気温度急上昇や未燃焼燃料の流出を防ぐために、エンジンスタートを自動的に中断してくれます。

<u><HEAT MANAGEMENT（温度管理）></u>

FADEC の温度管理システムは機種やエンジンの型式によって大きく異なりますが、ここでは他の機種と比べて特徴的な MD90 型機の V2500 型エンジンについて紹介します。

FADECはエンジンオイルと発電機のオイル、そして燃料の温度を管理します。ざっくりと言えばオイルは冷たい燃料と空気で冷やし、燃料は熱いオイルで温めるのですが…

ちょっと本題から外れますが、せっかくなので冷やすと温めるの目的について解説します。

「エンジンオイルの目的は？」という質問に対して、まず思い浮かびそうなのは「潤滑」という答えですが、ジェットエンジンの場合は最適な答えとは言えません。

一般的にエンジンオイルの目的は潤滑、冷却、清浄の3つが挙げられます。自動車などのピストンエンジンは間欠燃焼で、かつエンジンの冷却が別の方法で行われているため、オイルの主目的は潤滑と言えます。対してジェットエンジンは連続燃焼で、なおかつ回転軸が

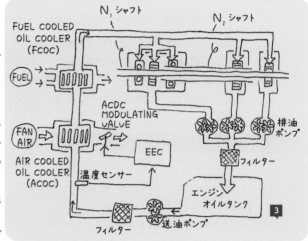

エンジン中心部を貫いており、燃焼室に 360°囲まれている軸受け部は非常に高温で過酷な環境にあります。そのため、オイルを循環させて軸受けを冷却することが、ジェットエンジンオイルの一番の目的に挙げられます（もちろん、ギアボックス等の潤滑も目的の1つですが）。従って、エンジンオイルを冷却する目的は、軸受けの冷却のためと言えます。

（発電機のオイルには、また別の目的があり、こちらは第4章を参照して下さい。）

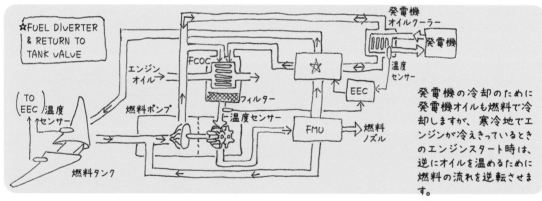

次に温める目的です（燃料系統については第7章も参照して下さい）。水分厳禁の燃料系統ですが、もしも水分が混入した場合、凍結してフィルターや配管を詰まらせ燃料の流れを阻害することがないように温めるのが目的の1つです。

また第7章で燃料油量計の表示単位が重量であることを解説しましたが、燃料の温度が大きく変動すると、同じ弁の開度でも同じ体積あたりに含まれる燃料の分子の数が変わるため、燃焼による発熱量も変わってしまいます。そのために、FMU の電磁弁を通過する燃料の温度が高々度飛行でも低下しないようにオイルとの熱交換で温めています。

さらにMD90 型機では、冬期運航時の駐機中に主翼上面に生成される氷塊をエンジンが吸い込んで、エンジンが破損することを防ぐため（第8章参照）、温められた燃料を主翼に戻す FUEL RETURN TO TANK SYSTEM が装備されています。

…ということで、FADEC はエンジンオイル、発電機オイル、燃料それぞれの温度をモニターし、エンジン出力や飛行高度に応じて各オイルクーラーに流れる空気と燃料の量を管理し、それぞれを適した温度に保つとともに、主翼の凍結防止を図ってエンジンの安定した運転を保ち、かつエンジンを保護します。

ⓒ エコノミー＆エコロジーに貢献する

ジェットエンジンは圧縮機と補機類を回すために、タービンを使って燃焼ガスが持つエネルギーを回転力に変換します。また高バイパス比エンジンでは、推力の多くを発生する大きなファンもタービンが回します。従って、タービンが効率良くエネルギーを回転力へ変換することが、燃費の向上（エコノミー）と自然生態環境保護（エコロジー）につながります。ムダな燃焼を抑制すれば、エンジンの寿命も伸びて良いことずくめです。

タービンは、タービンケースの中に収められて回転しますが、動翼の先端とケースの間に隙間が大きいと、そこから燃焼ガスがすり抜けてエネルギーの変換効率が落ちてしまいます。一方で隙間をギリギリまで小さくすると、回転部（タービンディスク＆タービンブレード）とタービンケースの材質・形状の違いによって、熱による膨脹、収縮によりタービン動翼先端がケースに接触して破損することになります。

そこで、FADEC はエンジンの運転状態と飛行高度などに応じて、タービンケースの外側から吹きつける冷却空気量 **4** をコントロールすることにより、動翼とケースの隙間を常に最小に保ち、エコノミー＆エコロジー活動に貢献してくれます。

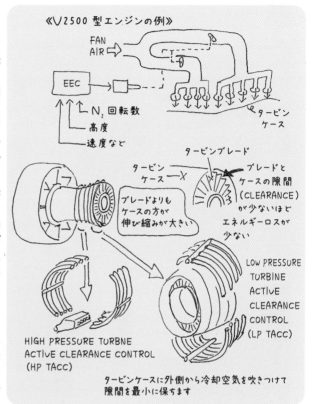

《V2500 型エンジンの例》

ブレードよりもケースの方が伸び縮みが大きい

ブレードとケースの隙間（CLEARANCE）が少ないほどエネルギーロスが少ない

LOW PRESSURE TURBINE ACTIVE CLEARANCE CONTROL (LP TACC)

HIGH PRESSURE TURBINE ACTIVE CLEARANCE CONTROL (HP TACC)

タービンケースに外側から冷却空気を吹きつけて隙間を最小に保ちます

ⓓ 自己診断機能により不具合を検知し、記録し知らせる

電子制御化が進んだシステムは FADEC に限らず自己診断機能 **5** を備えており、パイロットや整備士に必要な情報を知らせてくれます。

安全性を高めるために EEC は A、B 2つのチャンネルを持っており、もし1つのチャンネルが気絶しても、もう1つで正常な運転を続けることができますが、通常は、一方がエンジンを制御中のとき、他方は監視役をしていて、以下の場合に、その情報を記録してくれます。

・入力が失われたとき
・2つの入力値に差があるとき
・A チャンネルと B チャンネルの命令に差があるとき
・命令通りの作動が確認できないとき
・2つの確認値に差があるとき
・入力値や確認値が通常範囲から逸脱しているとき

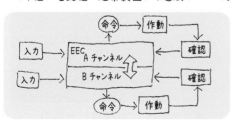

FADEC は発生した不具合の重要度によって、直ちにパイロットに知らせたり、適切な時期に整備士が処理できるように教えてくれたりと、伝え方にも気配りをしてくれます。機械制御式のエンジンでは、運航に支障がある不具合が発生したとき、計器表示から得られる情報と、パイロット、整備士、時にはキャビンアテンダントの五感から得られる情報をもとに、不具合原因を特定していくことがあたりまえでした。もちろん、電子制御式エンジンであっても、人間の五感と知識経験が重要なことには変わりませんが、FADEC が教えてくれる不具合情報は整備士にとって大きな武器となってくれます。

2章にわたって FADEC について紹介しましたが、楽しんでいただけましたでしょうか？

VSV、VBV などは、高バイパス比エンジンを設計する上で考え出された工夫ですが、実は電子制御化される前から機械制御式として実現されていました。回転数や温度、圧力を機械的な信号で処理し、VSV や VBV を可変的に制御していた当時の機械加工の精度は、今でも驚きに値します。

先人に敬意を払いつつ私達も精進しなければ…と思います。

1 燃焼室

ボーイング787用GEnx分解図　　　　　燃焼室

ボーイング747-200用JT9D　カットモデル

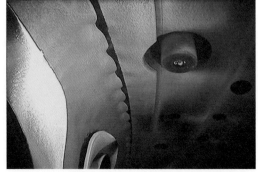

ボーイング737-800用CFM56-7Bエンジンの燃焼室の内部をボアスコープ（内視鏡）で撮影

2 エンジンの点火

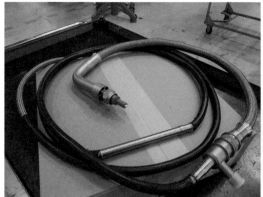

左のハイテンションリード（高圧導線）の先端に下のイグニッションプラグ（点火栓）がつきます。

3 エンジン オイル タンク

ボーイング737-800用 CFM56-7B

4 Turbine Case の冷却

ボーイング
787-8用
GEnx-1B
右側

同、左側

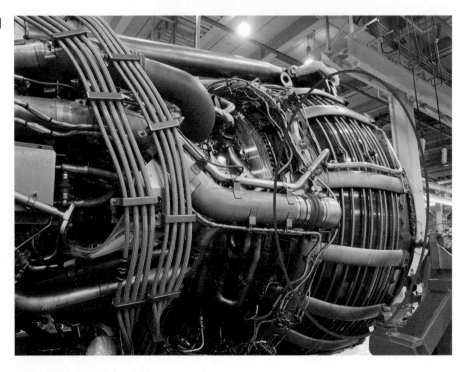

5 自己診断機能と予防整備

FADEC による
エンジンデーターモニタリング

エンジン
データー
モニタリング

地上への
ダウンリンク

整備の実施

整備処置の
決定

整備情報
データベース

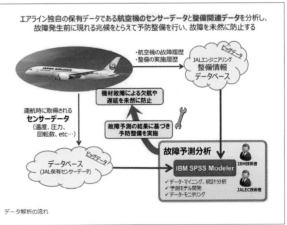

データ解析の流れ

（第19章以上）

167

索 引

Index

飛行機のシステムに興味を持たれた方、もっと深く勉強したい方へ

「航空整備士が書いた かなりマニアックな飛行機豆知識」をお読みいただき
ありがとうございます。
日本航空技術協会では、飛行機に関する詳しい図書を出版しています。
オンラインショップ https://www.jaea.or.jp/book/online から、本の内容
をチラ見出来る「立ち読み」やご購入ができます。是非ご利用さい。

協会HP

航空工学講座シリーズ全11巻

第1巻 航空力学
定価：3,080円

飛行機はスピードが速く、かつ三次元的に動くことで、機体に作用する力やその状態が複雑で、現象とその原因の探求が難しい、という特殊性があります。それを持つ飛行機に関する理論を解説し、飛行機に関する知識を習得する人達への参考図書です。

第5巻 ピストン・エンジン
定価：3,080円

ライト兄弟による動力飛行の成功から100年を過ぎた今日まで、ピストン・エンジンが使われています。現在使用されている水平対向型エンジンと過給機、燃料噴射装置、プロペラ減速装置などの技術を採用し、信頼性と低コストが実証されています。今後も小型機などに使用され続けるエンジンです。

第9巻 航空電子・電気の基礎
定価：3,740円

航空整備士を目指す人々のために、シラバス「電子装備等」を理解するのに必要な電子・電気の基礎を、日常経験する電磁現象を加えながら、具体的な例題を設けて理解し易く工夫しています。本書で用いる数式の意味を理解するために国際単位系（SI）についても解説しています。

第2巻 飛行機構造
定価：2,530円

最近の機体には、複合材料が使用されていますが、製造法は異なっても飛行機構造の設計概念には大差なく、既に確立された技術の多くが踏襲されています。視覚的にも読みやすいレイアウトにしています。

第6巻 プロペラ
定価：1,870円

飛行機が飛行できるのは、主翼に生じる揚力によるものです。この揚力を得るためにはエンジンにプロペラを装着し、このプロペラによって飛行機を前進させる方法と、ジェット・エンジンの推力エネルギーによって飛行する方法があります。ライト兄弟の時代から今日まで使用され続けているプロペラについて解説しています。

第10巻 航空電子・電気装備
定価：3,300円

航法・通信機器の使用目的や原理を理解しやすいアナログから、最近のデジタル化された機器までをデジタル・アビオニクスの章を設けることによってよりわかりやすく解説しています。

第3巻 航空機システム
定価：3,410円

航空機の運航に必要な油圧、空気圧、酸素、空調、与圧、燃料系統などについて実用例を用いて、航空機システムの必要性、システムに使われている機器、その作動原理・機能等が理解できるよう解説しています。

第7巻 タービン・エンジン
定価：3,520円

タービン・エンジンの作動原理はもとより、整備士として知っておくべき内容を記述しています。また需要の多かったヘリコプタに使用されているターボシャフト・エンジンやターボプロップ・エンジンについても解説しています。

第11巻 ヘリコプタ
定価：3,080円

ヘリコプタに詰め込まれている沢山の技術や工夫を、その原理から実際までできるだけ分かり易く説明し、ヘリコプタの設計や製造、運航や整備、操縦などに携わる人達への基本的知識を得られるように作りました。

第4巻 航空機材料
定価：2,860円

力学の基礎から始まり、材料力学、材料の結晶組織、金属材料、非金属材料、複合材料の種類と用途、航空機構造部への接着等を解説しています。

第8巻 航空計器
定価：2,750円

航空計器の装備から高度計、速度計、昇降計、圧力計、回転計、ジャイロ計器、磁気コンパスなどコックピットに装備される航空計器を解説しています。

航空工学図書

空を飛ぶはなし
定価：1,980円

B747 フライト・エンジニアが、飛行中のコックピットの状況を中心に、「巨大な航空機がなぜ空を飛ぶことができるのか？」を分かり易く、イラストを使って解説しています。図や文章など全ページをカラー化して、より分かり易く・見やすくリニューアルしています。

旅客機の開発史
定価：3,080円

形とスピードをキーワードとして世界の旅客機開発史をライト兄弟の時代から超大型機・超音速機まで、どのように進化してきたかについて技術開発を解説しています。

ザ・ジェット・エンジン
定価：5,830円

本書は、ジェット推進理論の説明から詳細な構成部品の説明、基本的機械工学からメンテナンスおよびオーバーホールまでのすべてを解説しています。最新版は、2002年に発行されたものと内容はすべて刷新されています。

**いちから始める
アビオニクスレッスン**
定価：2,250円

JALの現役教官が書いた航空電子の本

空を飛んでいる飛行機の姿勢・位置・高さってどうやって知るのか判りますか？
航空マニアからプロのパイロット・整備士まで満足できる、「世界一やさしい」だけど『詳しい』解説本。

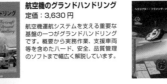

航空機のグランドハンドリング
定価：3,630円

航空機運航システムを支える重要な基盤の一つグランドハンドリング。概要から実務作業、支援車両等を含めたハード、安全、品質管理のソフトまで幅広く解説しています。

ヘリコプター・フライング・ハンドブック
定価：3,850円

アメリカ連邦航空局が発行するHelicopter Flying Handbook をFAAの許可を得て、当協会で翻訳したものです。ヘリコプタの整備士、自家用・事業用パイロットの資格取得のために勉強されている方の必読の本です。豊富な図をカラーで分かり易く・見やすく解説しています。

**新 これから学ぶ
航空機整備英語マニュアル**
定価：2,860円

本書は、以前の内容に下記の項目を追加することにより、新興エアラインなどの学習推奨文献としても使用できるものとなっています。
追加項目
・Minimum Equipment List の読み方
・Configuration Deviation List の読み方
・Squawk Card の書き方

航空技術英単語
定価：1,650円

本書は調べたい単語が必ず載っている、「頼れる単語帳」である事を念頭に置き英単語（6,500語）を掲載しました。また最も良く使用される意味を最前方に記載するなど、短時間で必要な意味が分かるように工夫しています。

上記の金額は、2024年2月時点の税込み金額です。改訂などにより変更の可能性があります。ホームページにてご確認下さい。

著者紹介

文・イラスト：中村惣一（なかむら そういち）

1965年生まれ。
成田総合高等職業訓練校（現 千葉職業能力開発短期大学校）・航空機整備科卒業。
1986年東亜国内航空入社。以来、東京・羽田空港、北九州空港、高松空港にて勤務。
ダグラスDC-9（MD80/MD90）、エアバスA300、A300-600R、ボーイング737-800、エンブラエル170/190の一等航空整備士を保有。
現在は、株式会社JALエンジニアリングの発着整備を担うライン整備士として福岡空港で空の安全を守っている。

協　　　力　日本航空株式会社
　　　　　　株式会社JALエンジニアリング
　　　　　　公益財団法人航空科学博物館
　　　　　　関東化学工業株式会社
イラスト提供　中村寛司　下村栄司

> 本書の記載内容についてのご質問やお問合せは、公益社団法人　日本航空技術協会　教育出版部までEメール等でご連絡下さい。

2021年10月26日　第1版第1刷　発行
2022年 5月20日　第1版第2刷　発行
2023年 2月 1日　第1版第3刷　発行
2024年 2月29日　第1版第4刷　発行

現役航空整備士が書いた かなりマニアックな
飛行機豆知識

ISBN978-4-909612-19-9

編　者　公益社団法人　日本航空技術協会
発行者　公益社団法人　日本航空技術協会
　　　　〒144-0041　東京都大田区羽田空港1-6-6
　　　　URL　https://www.jaea.or.jp

印刷所　株式会社 サンエー印刷